東京駅変遷史

巨大ターミナルを彩った

東京駅の開業は1914年12月20日のこ
今日では在来線8系統と新幹線7系統が集結し、重
東京駅に集った彩とりどりの車両に思いを馳せよう。

構成◎編集部　写真◎金盛正樹（特記以外）

旅客と列車の出会い…

東西南北に行き交う路線

**各方面の列車が集結する始発駅にして終着駅。
東京駅の重要性は開業以来、時代とともに大きくなるばかりだ。
そして今日、さらに新しいステージへ飛躍を遂げようとしている。**

あらゆる方面の拠点駅として機能

東京駅は地上に在来線と新幹線がそれぞれ5面10線、地下に在来線が4面8線、合計14面28線のホームを持つ。1日あたり約3000本の発着列車本数と合わせ、この規模は全国のJRの駅で最大。名実ともに首都・東京、そして日本を代表するターミナルだ。

1日の乗降客数は、JR東日本が約28万人、JR東海が約13万人の合計約41万人。JRで第1位の新宿駅(約52万人)などにはおよばないが、西側に丸ノ内のオフィス街、東側に八重洲の大商業街を擁し、国内外のビジネス客・観光客でにぎわっている。

本来は東海道本線の起点で、西行き列車のターミナルだが、実は東北本線の起点でもあり、総武本線や京葉線も同様に起点を置く。また丸の内側の地下には東京メトロ丸ノ内線の東京駅もあり、多彩な路線が乗り入れる"日本の中央駅"である。また、東京駅とビッグサイトを結ぶ地下鉄構想もあり、今後ますます重要な役割を担うことになるだろう。

乗り入れ路線 GUIDE

**列車のデパート・東京駅。
合計14面28線のホームからはどんな路線が延び、
どんな車両が走っているのだろう?
各発着番線の概況と、
主力車両の面々について見ていこう。**

1·2番線 中央線

東京〜立川・豊田・高尾間などで運行する中央線の快速列車が発着。『あずさ』や『かいじ』なども乗り入れる。2024年度以降、東京駅〜大月駅間と青梅線立川駅〜青梅駅間にグリーン車が導入予定。E233系●KATO

3·6番線 京浜東北線

大宮〜横浜間を結び、横浜〜大船間の根岸線と直通運転。4・5番線の山手線を中間にはさみ、3番線に北行き、6番線に南行きが発着する。2024年度からはワンマン運転も開始される。E233系●TOMIX

4·5番線 山手線

環状線の内側を走る『内回り』は4番線、外側を走る『外回り』は5番線。正式には品川〜新宿〜田端間を指し、田端〜東京間は東北本線、東京〜品川間は東海道本線に含まれる。E235系●TOMIX

上野・大宮・宇都宮・高崎・水戸方面の車両が乗り入れる。また、常磐線の特急『ひたち』『ときわ』なども停車する。宇都宮線や高崎線ではグリーン車付きのE231系とE233系が使用されている。E531系●KATO

伊豆急下田・修善寺方面の特急『サフィール踊り子』『湘南』や寝台特急『サンライズ出雲・サンライズ瀬戸』などの優等列車から普通列車まで乗り入れる。285系『サンライズ瀬戸／出雲』●KATO

快速列車をはじめ、『成田エクスプレス』や『しおさい』などの特急などが乗り入れる。また、2020年からは2階建てグリーン車を組み込んだ、新型車両のE235系1000番台が運行を開始した。E235系●KATO

蘇我方面へ向かう京葉線のほか、千葉・埼玉の東京周辺部を迂回して府中本町へ向かう武蔵野線が乗り入れ。内房特急『さざなみ』と外房特急『わかしお』もここから出発する。E233系●TOMIX

日本一の大幹線である東海道新幹線は3面6線のホームを持ち、新大阪や山陽新幹線博多方面への列車が続々と発着。在来線時代の名残で、14〜19番線という飛び番になっている。N700S●TOMIX

北行き新幹線のホームは、東海道本線と東海道新幹線の間にある。東北新幹線のほか、上越・長野新幹線、東北新幹線と併結運転する山形・秋田新幹線など、各方面の列車が発着。E5系●KATO

地下と地上に拡張を続ける立体駅

東京駅は基本的に1階部分がコンコースで、2階部分が在来線・新幹線ホームという構造。

さらに西側には総武地下ホーム、南側には京葉地下ホームと2つの地下駅があり、地上と同様に列車が次々と発着。京葉地下ホームは、となりの有楽町駅に近いあたりまで広がっている。こうして駅は、長い歴史のなかで複雑に立体化されてきた。

東海道本線をはじめ多くの主要路線を擁し、いつでも最新・最高の技術を誇る車両が姿を現す東京駅。一世を風靡した特急列車から、黙々と人々の生活を支え続けた通勤列車まで、それぞれの時代を駆け抜けたのはどんな名優たちだったのだろうか。Nゲージ車両で振り返ってみるのもおもしろい。

“超特急”と呼ばれた名列車

特急『つばめ』ヒストリー

東京駅といえば東海道。
そして、歴史あるこの路線の代表選手といえば、特急『つばめ』だろう。
いつの時代も人々の憧れの的だった、フラッグシップトレインの軌跡をたどる。

最速列車として華々しくデビュー

1930年10月に誕生した特急『つばめ』の牽引機はC51で、国府津〜沼津間は峠道の旧東海道本線(現在の御殿場線)を経由。国府津でわずか30秒の運転停車中に後補機・C53を連結し、御殿場で走行中に切り離すなど、神業的運転で時間短縮した。

1934年12月に丹那トンネルが開通すると、東海道本線は現在の熱海経由に変更され、東京〜沼津間の牽引を電機のEF53にバトンタッチ。東京〜大阪間8時間という戦前の最速記録を打ち立てるが、戦中の非常体制で1943年7月に運転中止となってしまう。

しかし戦後の1949年9月、東京〜大阪間の特急『へいわ』がデビュー。1950年1月には『つばめ』と改称され、名列車は約7年ぶりに復活する。やがて1956年11月に東海道本線の全線電化が完成すると、有名な“青大将”編成となって話題となった。

電車となって活躍の舞台は西へ…

1960年6月には、特急『こだま』でデビューした151系が『つばめ』にも登場。電車の俊足を生かし、1962年6月には1往復が東京〜広島間に延長となる。そして1964年10月の東海道新幹線開業後は東京を離れ、新大阪〜博多間に活躍の場を移した。

151系は直流用のため、交流区間の九州では照明や冷暖房用の電源車・サヤ420を連結し、ED73に牽引されて走ったというエピソードも残っている。やがて485系や583系で熊本・鹿児島方面へ進出した『つばめ』は、山陽新幹線博多開業で再び消滅した。

それから17年後の1992年7月、JR九州の威信をかけた新型車両・787系が、九州島内の特急『つばめ』として運転開始。さらに2004年3月に九州新幹線が開業すると、その列車名に採用される。74年の時を越えて、『つばめ』はついに新幹線へと進化した。

『つばめ』のマークいろいろ

C51+スハ32系　東京駅発着時代

1930.10〜1934.11
東京〜大阪(8時間20分)〜神戸(9時間)

機関車交代を減らして速達化するため、当初は機関車の次位に水槽車・ミキ20を連結。横浜〜名古屋間をノンストップとしたが、1932年7月に静岡停車として水槽車を廃止した。

EF58+スハ44系"青大将"

1956.11～1960.05
東京～大阪(7時間30分)

東海道本線全線電化完成を記念した特別塗装で登場。ライトグリーンで牽引機と客車を統一した編成は"青大将"と呼ばれ、客室にはアテンダント『つばめガール』も乗務した。

151系

1960.06～1965.09
東京～大阪(6時間30分)

『パーラーカー』こと展望車・クロ151を連結し、在来線最速の東京～大阪間6時間30分を実現。1962年6月に1往復が広島へ延長され、1964年10月からは新大阪～博多間を走った。

481／485系　山陽・九州時代

1965.10～1975.03
名古屋～熊本間／岡山～博多・熊本間

国鉄特急型の決定版。当初は直流／交流60Hzに対応した481系で運転されたが、1970年10月からモハ車は交流50Hz(『つばめ』では使用せず)にも対応した485系が投入された。

581／583系

1968.10～1975.03
名古屋～熊本間／岡山～熊本・西鹿児島間

481／485系と並行して使用された座席・寝台兼用電車で、運用は列車ごとに区別。モハ車は2電源対応のモハネ581・580と3電源対応のモハネ583・582が混用されていた。

787系

1992.07～2004.02
門司港・博多・熊本～西鹿児島間

新しさと懐かしさが融和した斬新なスタイルに、ビュッフェ(後に廃止)を持つ豪華編成で、鉄道旅行の楽しさを演出。1996年3月までは、一部の列車に783系も投入されていた。

800系

2004.03～
新八代～鹿児島中央間

九州新幹線の初代車両。メカニズムは700系をベースとしながら、885系『かもめ』のデザインコンセプトを発展させ、九州産の素材にこだわったウッディな内装が独自性を放つ。

※戦前の『つばめ』は『燕』と漢字表記されていたが、当時から資料によってはひらがな表記されており、どちらも間違いではない。

実は主役級の出演ぶり

通勤電車の多彩な顔ぶれ

長距離を走る優等列車のターミナルという印象が強い東京駅だが、運転本数を考えれば、真の主役は通勤電車ともいえる。開業時から現在に至る“庶民の足”を概観していこう。

東京駅にゆかりの深い京浜東北線

東京駅の完成当初、ホームは4面2線だけだった。八重洲側の2面は長距離列車用で、東海道本線と横須賀線。一方で丸の内側の2面は近距離の電車用で、京浜線（現在の京浜東北線）と山手線（まだ環状運転を実施していなかった）が使用した。

京浜線は東海道本線の電車線で、今風にいえば緩行線といったところ。東京駅開業時に東京～高島町（横浜駅の近くにあった）間で運転開始し、東京駅とともに歩む路線だ。南行列車が発着する5・6番線ホームの一部は、現在も当時のまま使われている。

やがて1919年3月になると、中央線の電

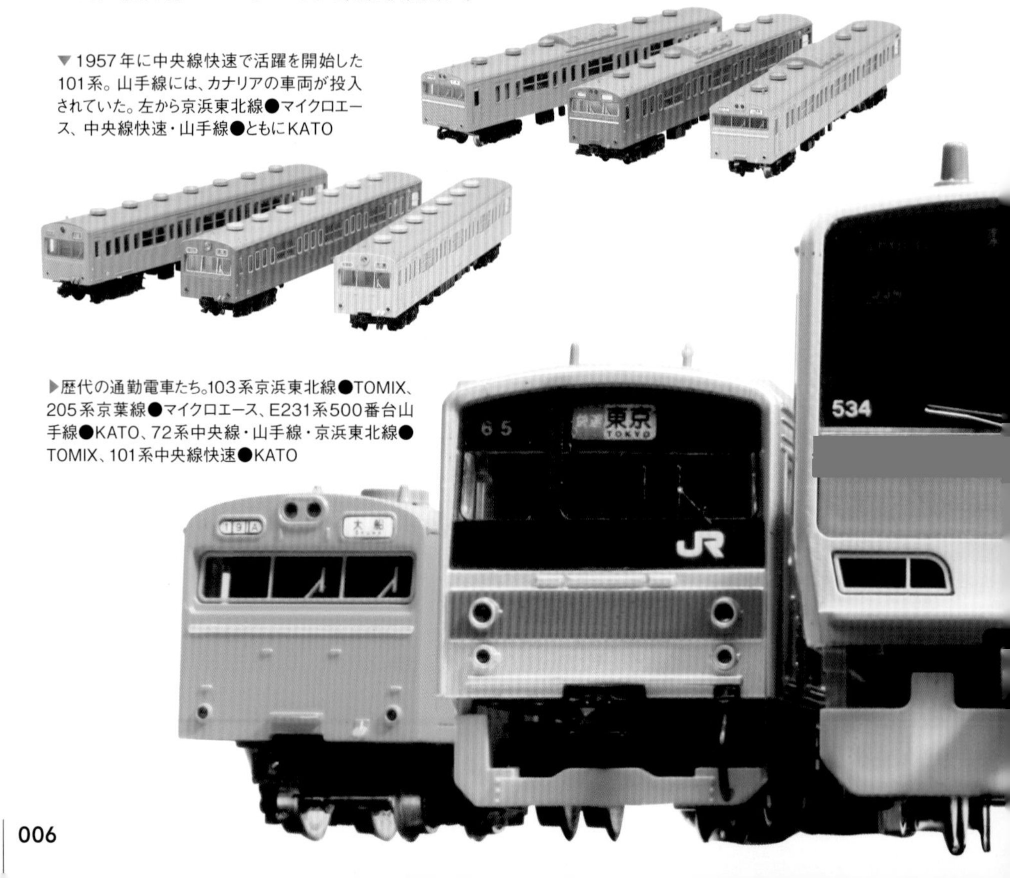

▼103系は1963年、ウグイスのラインカラーとともに山手線でデビュー。写真は後年登場した高運転台・ATC搭載車。左から京浜東北線●TOMIX、中央線快速●KATO、山手線●TOMIX

▼1957年に中央線快速で活躍を開始した101系。山手線には、カナリアの車両が投入されていた。左から京浜東北線●マイクロエース、中央線快速・山手線●ともにKATO

▶歴代の通勤電車たち。103系京浜東北線●TOMIX、205系京葉線●マイクロエース、E231系500番台山手線●KATO、72系中央線・山手線・京浜東北線●TOMIX、101系中央線快速●KATO

車も乗り入れた。また1925年11月には、上野方面から東北本線が乗り入れたことにより、山手線が環状運転を開始。やがてこれらの通勤路線には、40系、63系といった旧型国電が投入されるようになった。

広がる首都圏の通勤ネットワーク

歴代車両で模型としてもおなじみなのは、63系の改良型として1952年に登場した72系あたりだろうか。そして、1957年には新性能電車のモハ90系(後の101系)が、オレンジの斬新なカラーで中央線快速に登場。"無骨で茶色い"電車のイメージが一新された。

以降103系・201系・205系・209系・E231系・E233系・E235系と、おなじみの面々が登場していく。

103系までの抵抗制御から201系のサイリスタチョッパ制御、205系の界磁添加励磁制御、そして209系からのVVVFインバータ制御と、外観だけでなくメカニズムもつねに進化を続けている。

また1990年3月には、京葉地下ホームが開業し、京葉線と武蔵野線の列車が乗り入れ開始。千葉方面の新しいアクセスと同時に、東京の外環状線が形成された。車両は当初、他線から転属した103系や201系だったが、その後専用の205系が活躍し、現在は209系、E231系からE233系が使用されている。

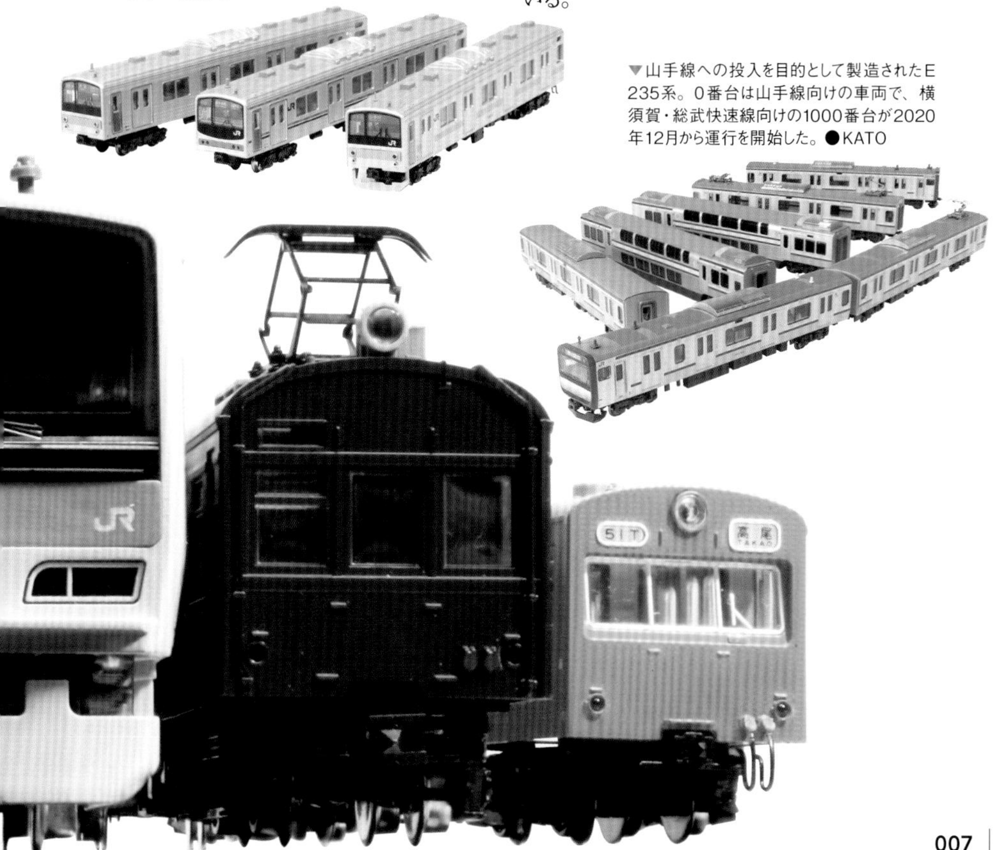

▼1985年に山手線で運用開始された205系。京浜東北線でも一時期活躍し、京葉線や武蔵野線では独自の前面が採用された。左から京浜東北線、武蔵野線、山手線 ●すべてKATO

▼山手線への投入を目的として製造されたE235系。0番台は山手線向けの車両で、横須賀・総武快速線向けの1000番台が2020年12月から運行を開始した。●KATO

第三開業の立役者

カテゴリー“近郊”の今昔

東海道本線と横須賀線。
どちらも古くから、近郊列車にグリーン車を連結するエリートだ。
兄弟路線として走り続け、さまざまなエピソードを持つ両線の車両たちを見ていこう。

いつも新型車両がいる東海道本線

“電車王国”とまで呼ばれる日本の鉄道事情。その基礎を築いたのは東海道本線だ。1950年にデビューした80系は、動力分散・固定編成という新概念を確立。中・長距離列車は、静かで乗り心地のよい客車でなければダメだという固定観念を覆した。

1958年にはモハ91系（後の153系）が投入され、準急『東海』として運転開始。しかし両形式とも2ドア・デッキ付きだったことから、輸送需要の増加に対応して1962年に3ドア・デッキなしの111系が登場し、翌年からは出力増強型の113系へと移行した。

▼東海道本線の歴代近郊型。111／113系は1962／1963年、211系は1986年、E231系は2004年から投入された。左からE231系●マイクロエース、211系●KATO、113系●TOMIX

▲東海道本線の113系・211系・E231系・E233系には、2階建てグリーン車が組み込まれた。左からサロE230●マイクロエース、サロ212●KATO、サロ124●マイクロエース

悲運のオールダブルデッカー

1992年に『湘南ライナー』と快速『アクティー』でデビューした215系は、乗降に時間がかかり、湘南新宿ラインや波動輸送などへ転々とし、2021年にすべての定期運用を終了した。●マイクロエース

その後、ステンレス車の211系とE231系が投入され、40年以上にわたって活躍した113系は東京口から引退した。ところが同じ頃、湘南新宿ラインのE231系投入により横須賀線で余剰となったE217系が一時的に転属し、意外な展開を見せた。

地下で結ばれた横須賀・総武ライン

東京駅第二の開業を東海道新幹線の誕生とすれば、第三の開業は総武地下ホームの開設だろう。1972年7月に総武線の新たな起点としてオープンし、快速列車の始発・終着駅として供用開始。1980年10月には、横須賀線との直通運転がはじまった。

それまでの横須賀線は地上ホーム発着で、東京〜大船間は東海道本線と線路を共有していた。しかし沿線のベッドタウン化で人口が増加するのに合わせ、東海道本線の貨物支線を利用して運転経路を分離。これにより、列車が大増発できるようになった。

横須賀線は軍港・横須賀へのアクセス路線として、古くから優秀な旧型国電が投入されてきた。80系が登場した翌年には、弟分の70系が、さらに、東海道本線とほぼ足並みを揃えて111／113系が、そして1994年12月からはE217系が活躍した。

2020年12月からは最新のE235系が営業運転を開始した。

名物だった郵便車・荷物車

80系・153系・111／113系などの時代には、列車によく郵便車や荷物車が連結された。クモユニ74は新性能電車の111系と併結するため、1962年からモハ72を改造して誕生した郵便・荷物合造車。長大な近郊列車が、郵便車・荷物車を先頭に連結して走る姿は壮観だった。

クモユニ74は基本形式・0番台のほか、80系とも併結可能な100番台、東北本線・高崎線で80系・115系とも併結可能な200番台も誕生した。●マイクロエース

"スカ形"と"スカ色"

横須賀線で1951年にデビューした70系は"スカ形"と呼ばれた。また111／113系は1962／1963年に湘南色で投入されたが、後に伝統のブルー＋クリームに塗り替えられ"スカ色"という言葉が定着した。

左から70系●マイクロエース・113系●TOMIX

異彩を放った
珍種グリーン車

東海道本線と横須賀線は代々、近郊列車にグリーン車を連結している。なかでもファンの間で話題となったのは、1983年から登場した181系・183系・485系など特急型を改造した車両。113系の編成中でひときわ目を引いただけでなく、座り心地のよいシートが好評を博した。

横須賀線の通常型グリーン車と、東海道本線の特急型改造車。奥からサロ110 1200番台●TOMIX・サロ110 350番台（サロ481・489の改造車）●マイクロエース

非日常へのエスケープ

リゾート・トレインの系譜

新幹線全盛時代となり、超長距離を走る在来線の列車は姿を消したが、今も主に9番線ホームでは、伊豆方面の特急が発着する。リゾート地へと誘う観光列車の移り変わりを見ていこう。

特急『踊り子』は在来線のスター

通勤列車の行き交う駅であると同時に、東京駅はリゾートへの玄関口でもある。最大の目的地は伊豆半島。関西・山陽・九州などへの長距離列車が新幹線となった現在、特急『踊り子』ファミリーは在来線優等列車の最大勢力となっている。

2021年まで活躍した185系は、斬新なグリーンストライプで1981年10月にデビューし、晩年は湘南色にリニューアルされて活躍。伊東線・伊豆急行へ乗り入れる伊豆急下田行き10両編成に、伊豆箱根鉄道へ乗り入れる修善寺行き5両編成を併結する長大編成を誇った。

一方1988年7月からは、伊豆急2100系"リゾート21"を使用した臨時列車『リゾート踊り子』も運転開始したほか、1990年4月からは、ハイデッカー&ダブルデッカーの251系『スーパービュー踊り子』も仲間入りし、豪華な設備で個性を競った。

現在は退役した185系に代わり、『踊り子』の全列車がE257系2000番台・2500番台で運行している。また、『スーパービュー踊り子』の後継にあたる『サフィール踊り子』が2020年から運行を開始した。伊豆と首都圏を結ぶ新たな観光特急列車として登場した『サフィール踊り子』は8両編成で、カフェテリアを除く全車両がグリーン車となっており、より上質な旅が楽しめる。

1984～1989年の多客期に『サロンエクスプレス東京』の客車で運転された『サロンエクスプレス踊り子』。EF58 61が先頭に立つことも多く、ファンを熱狂させた。EF58 61＋14系700番台『サロンエクスプレス東京』●KATO

伊豆急2100系"アルファ・リゾート21"。R-5編成はの水戸岡鋭治デザインの観光列車『THE ROYAL EXPRESS』へ改造された。●マイクロエース

伊豆を目指した行楽列車いろいろ

伊豆半島を目指すリゾート列車は、古くから運転されていた。1950年10月、東京〜伊東・修善寺間臨時準急『あまぎ』が80系で登場。以降も、『いでゆ』『はつしま』『伊豆』『たちばな』『十国』などの準急列車が東京駅をにぎわせた。

また“デラックス準急”157系は、1961年4月から伊豆と日光の両観光地を結ぶ伊東〜日光間季節準急『湘南日光』に投入され、1964年11月から東京〜修善寺・伊豆急下田間急行『伊豆』、1969年4月から東京〜伊豆急下田間特急『あまぎ』で活躍した。

この『伊豆』と『あまぎ』は、1981年10月に『踊り子』へ統合。『伊豆』に先行投入されていた185系のほか、157系のあと『あまぎ』に使用されていた183系1000番台も運用されたが、1985年3月には185系に統一され“伊豆の顔”として定着した。

『踊り子』の15両編成は電車特急では国鉄最長だった。185系『踊り子』●TOMIX

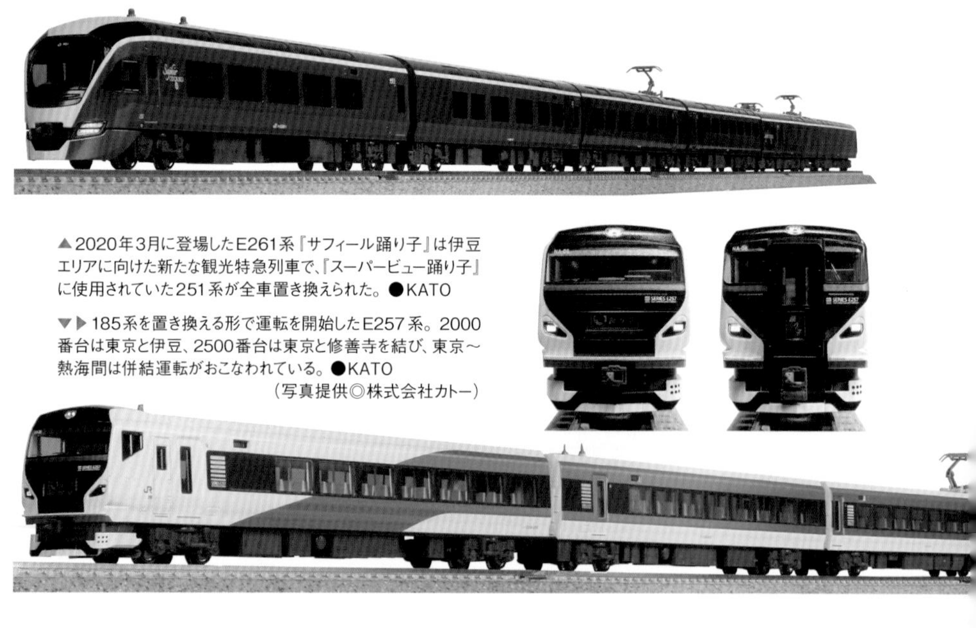

▲2020年3月に登場したE261系『サフィール踊り子』は伊豆エリアに向けた新たな観光特急列車で、『スーパービュー踊り子』に使用されていた251系が全車置き換えられた。●KATO

▼▶185系を置き換える形で運転を開始したE257系。2000番台は東京と伊豆、2500番台は東京と修善寺を結び、東京〜熱海間は併結運転がおこなわれている。●KATO

（写真提供◎株式会社カトー）

海岸線を行く仲間たち
伊豆急ミニカタログ

特急『踊り子』が乗り入れる伊豆急こと伊豆急行は、伊東～伊豆急下田間45.7㎞を結ぶ全線単線の電化路線。1961年12月の開業時から活躍したオリジナル車両・100系には、グリーン車や私鉄唯一の本格的な食堂車『スコールカー』も用意されていた。

また1985年7月には、先頭車・中間車ともに沿線の大自然を満喫できるパノラマシートを備え、特急並みの設備ながら特別料金不要の2100系“リゾート21”を投入するなど、オリジナリティあふれるサービスが光る伊豆半島東岸の観光路線だ。

その後は、譲渡車の200系（元JR東日本113／115系）や8000系（元東急8000系）を導入したが、いずれも転属前とは違う独特なカラーリングで活躍。2022年3月にはJR東日本の209系が3000系『アロハ電車』として入線している。

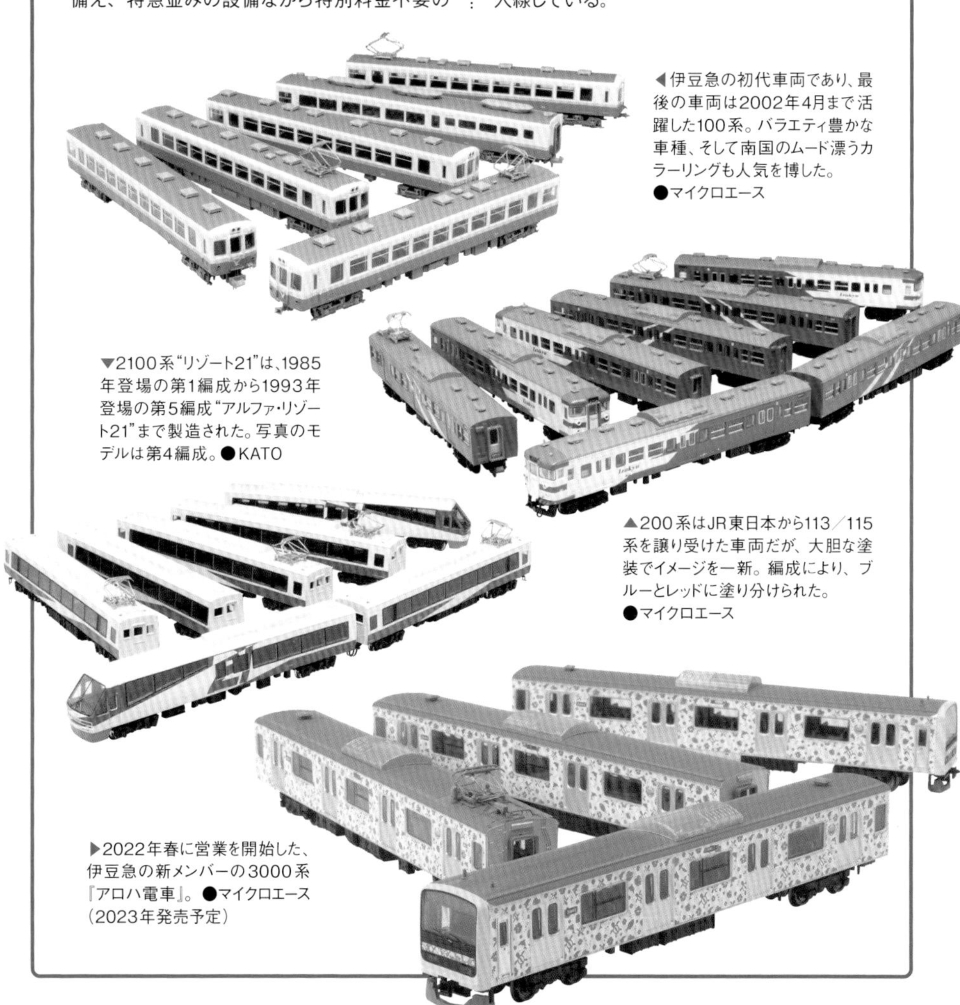

◀伊豆急の初代車両であり、最後の車両は2002年4月まで活躍した100系。バラエティ豊かな車種、そして南国のムード漂うカラーリングも人気を博した。●マイクロエース

▼2100系“リゾート21”は、1985年登場の第1編成から1993年登場の第5編成“アルファ・リゾート21”まで製造された。写真のモデルは第4編成。●KATO

▲200系はJR東日本から113／115系を譲り受けた車両だが、大胆な塗装でイメージを一新。編成により、ブルーとレッドに塗り分けられた。●マイクロエース

▶2022年春に営業を開始した、伊豆急の新メンバーの3000系『アロハ電車』。●マイクロエース（2023年発売予定）

年表から読み解く!!

TOKYO STATIONの歴史

東京駅が誕生しておよそ100年あまり。
その間、どんなできごとがあり、どんな列車たちが行き交ったのだろうか?
ビジュアル年表で早わかり、開業から現在に至る経緯をまとめよう。

1914.12.18 …… 開業式を挙行。
1914.12.20 …… 開業。東京~高島町間で京浜線電車が運転開始。
1915.11.28 …… 駅舎2・3階に精養軒経営の東京ステーションホテルが開業。
1919.03.01 …… 東京~万世橋間開通により中央本線が乗り入れ。
1921.03.21 …… 東京市電が駅前(丸の内側)に乗り入れ。
1923.07.01 …… 東京~下関間に3等特別急行列車を新設。
1925.11.01 …… 神田~上野間開通により東北本線が乗り入れ。
山手線が環状運転開始。
1926.10.05 …… 青バス東京遊覧(はとバス)の駅前駐車を承認。
1929.09.15 …… 東京~下関間の1・2等特急を『富士』、3等特急を『桜』と命名。
1929.12.16 …… 八重洲口開設。
1930.10.01 …… 東京~神戸間に特急『燕』を新設。
1933.10.31 …… 東京ステーションホテルを鉄道省直営の
東京鉄道ホテルとする。
1942.09 …… 第5ホーム(現在の20・21番線のあたり)供用開始。
1945.05.25 …… 空襲で被災し、丸の内駅舎のドーム部分や乗降場などを焼失。
1945.09.15 …… RTO(進駐軍鉄道輸送総本部)指令室を丸の内南口に仮設。
1945.12.01 …… 東京鉄道ホテルの経営を日本交通公社へ移譲。
1947.03.15 …… 丸の内駅舎のドーム部分を八角柱状に復興。
1948.06.20 …… 乗車口・降車口の区別による駅構内一方通行を廃止。
1948.11.16 …… 八重洲口新駅舎供用開始。
1949.04.29 …… 八重洲口新駅舎焼失。

C51 1919年
優等列車用の高速機で、
当初は18900形として登場した。

EF53 1932年
丹那トンネル開業の少し前に
製造された戦前の標準機。

80系 1950年
電車の長距離運転を確立。
初期車は前面が3枚窓だった。

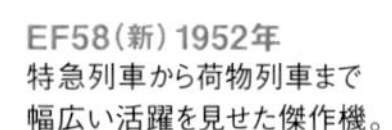

EF58(新) 1952年
特急列車から荷物列車まで
幅広い活躍を見せた傑作機。

1951.11.15 …… 東京ステーションホテルが再開業。
1952.04.01 …… RTOの廃止にともない同司令室返還。
1953.07.01 …… 第7ホーム(現在の14・15番線のあたり)供用開始。自由通路が完成。
1953.09.01 …… 第6ホーム(現在の22・23番線のあたり)供用開始。
1954.04.15 …… 常磐線の列車が有楽町まで乗り入れ開始。
1954.10.14 …… 八重洲口新本屋(鉄道会館)が完成。翌週に大丸百貨店が開業。
1956.07.20 …… 営団地下鉄(東京メトロ)丸ノ内線淡路町~東京間が開業。
1956.11.19 …… 東海道本線全線電化完成。京浜東北線・
山手線分離運転開始。
1958.10.01 …… 東京~博多間に20系『あさかぜ』デビュー。

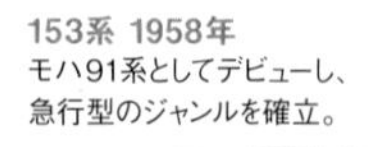

153系 1958年
モハ91系としてデビューし、
急行型のジャンルを確立。

参考文献:『図説 駅の歴史 東京のターミナル』(交通博物館編/河出書房新社)

20系 1958年
冷暖房完備のサービスから『動くホテル』と呼ばれた。

1958.11.01 …… 東京～大阪・神戸間にモハ20系（151系）『こだま』デビュー。
1960.06.01 …… 特急『つばめ』『はと』を151系化。
1964.10.01 …… 東海道新幹線東京～新大阪間が開業。
1965.06.01 …… 八重洲大地下道が開通。
1965.10.01 …… 荷物専用列車の着発と配達業務を汐留へ移管。

EF65 500番台 1965年
旅客用はEF65P型とも呼ばれ、ブルトレ黄金期のスター。

151系 1958年
当初の形式名はモハ20系で、20系客車の1か月後に登場。

1966.02.10 …… 八重洲大地下街商店街開業。
1966.10.01 …… 営団地下鉄（東京メトロ）東西線大手町駅開業。徒歩連絡開始。
1967.03.16 …… 東海道新幹線16・17番線ホームが完成。
1967.10.01 …… 東北本線・信越本線・上越線の優等列車が一部上野から乗り入れ。
1972.07.15 …… 総武地下ホーム開業により総武本線が乗り入れ。
1972.11.11 …… 駅前から都電が消滅。
1978.10.02 …… 東京鉄道郵便局東京駅分局廃止、東京駅発着の鉄道郵便車全廃。
1979.12.01 …… 東海道新幹線14・15番線ホームが完成。

24系25形 1974年
寝台客車の決定版として、日本全国を股にかけて活躍。

201系 1979年
サイリスタチョッパ制御を採用し、中央線快速に登場。

205系 1985年
山手線で運用を開始し、新世代通勤車の普及版に成長。

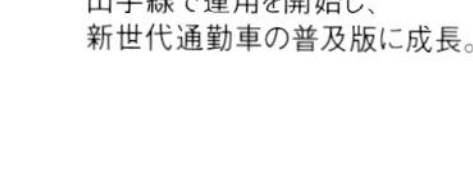

1980.10.01 …… 横須賀線が総武地下ホームに乗り入れ、総武線快速と直通運転。
1987.04.01 …… 国鉄分割・民営化。東海道新幹線はJR東海、他はJR東日本が継承。
1990.03.10 …… 京葉地下ホーム開業。
1991.03.19 …… 大宮・新宿・横浜～東京～成田空港間『成田エクスプレス』運転開始。
1991.06.20 …… 東北新幹線東京～上野間開業。東北・上越新幹線が乗り入れ。
1992.03.14 …… 東海道・山陽新幹線『のぞみ』運転開始。
1992.07.01 …… 東京～山形間に山形新幹線『つばさ』運転開始。
1994.12.03 …… 10～13番線廃止（10番線は1997年に使用再開）。
1995.07.02 …… 重層化工事完成。中央線新ホーム供用開始。

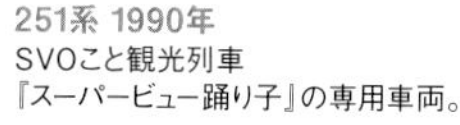

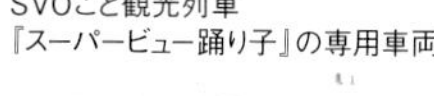

251系 1990年
SVOこと観光列車『スーパービュー踊り子』の専用車両。

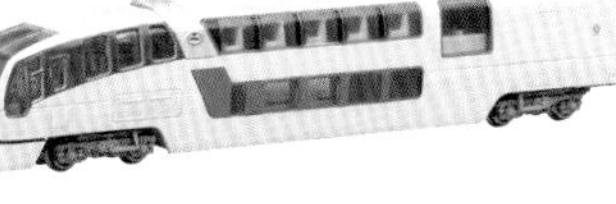

1997.03.22 …… 新幹線ホーム増設。東京～秋田間に秋田新幹線『こまち』運転開始。
1997.10.01 …… 長野新幹線高崎～長野間開業。東京～長野間に『あさま』運転開始。
2002.12.01 …… 東北新幹線盛岡～八戸間開業。東京～八戸間に『はやて』運転開始。
2003.04.18 …… 丸の内駅舎が重要文化財に指定される。
2005.12.10 …… 新幹線ホーム（20・21／22・23番線）の方面別使い分けを廃止。
2007.05.30 …… 丸の内駅舎の開業時復元（復原）工事が着工。
2009.03.13 …… 寝台特急『はやぶさ』『富士』廃止。
2011.03.05 …… 東北新幹線『はやぶさ』運転開始。
2012.10.01 …… 復原された丸の内駅舎全面開業。
2014.12.20 …… 開業100周年記念日。
2015.03.14 …… 上野東京ライン完成。宇都宮線・高崎線・常磐線の列車が乗り入れ開始。
北陸新幹線金沢開業により、『はくたか』『かがやき』運行開始。
2016.03.26 …… 北海道新幹線の新青森～新函館北斗駅間の開業に伴い、
同日より東北新幹線と直通運転開始。

E351系 1993年
中央本線の『スーパーあずさ』で活躍する振子式車両。

SHINKANSENの今

今日のスターとなった新幹線

東京駅の開業から100年あまり。長距離輸送の主役は、やはり新幹線だ。西へ、北へ広がる路線網と、次々にデビューする新型車両…。今日の新幹線の活躍ぶりを概観しよう。

東海道新幹線はさらなる新時代へ

1964年10月に東海道新幹線が開業してから43年。車両は0系から700系へと進化し、2007年からはN700系が営業運転を開始した。東京～新大阪間の所要時間は、3時間10分（開業時は4時間）から2時間25分にまで短縮された。

さらに、老朽化したN700系の置き換えとさらなるサービス向上を目指してN700Sが開発され、2020年から活躍している。

ちなみに東京駅の東海道新幹線ホームは当初、最も八重洲側にある現在の18・19番線だけだったが、1967年3月に16・17番線、1979年12月に14・15番線のホームが完成した。

なお、現在東京駅を発着する東海道新幹線の車両はN700系・N700AとN700Sで、『のぞみ』『ひかり』『こだま』の3つの列車種別がある。また、定期列車の東京駅～新大阪間の平均所要時間は2時間28分になった。

東海道・山陽新幹線↓

N700系・N700A

N700系は700系をベースに快適性や環境性などをグレードアップさせた車両で、N700系をブラッシュアップさせた車両がN700A。●TOMIX

N700S

2020年7月から営業運転を開始した、13年ぶりのフルモデルチェンジ車両。高速鉄道で世界初となるバッテリ自走システムを搭載。●KATO

東北・上越・長野新幹線↓

E2系

東北新幹線・長野新幹線（北陸新幹線の長野までの開業）向けに開発・製造された車両。2024年ダイヤ改正で全車両が撤退予定。●TOMIX

E5系

東北新幹線において最高速度320km/h運転をおこなうために開発された車両で、2011年3月5日から営業運転を開始した。●TOMIX

車種豊富な東北・上越新幹線系統

東京駅に北行きの新幹線が乗り入れたのは、驚きのできごとだった。しかし、そもそも東京駅がどちらの方面の路線も考慮した中央停車場として計画され、東北本線の起点にもなっていることを考えると、不思議ではなかったのかもしれない。

東北新幹線系統のホームは、やはり1面2線（12・13番線）で1991年6月に開業したが、1995年7月に中央線を2階から3階へ移転。在来線ホームを1本ずつ丸の内側へずらして新幹線用をもう1本供出し、1997年10月から2面2線（20～23番線）となっている。

東京駅までやってくる路線名としては東北新幹線だけだが、途中から分岐する山形・秋田・北海道・上越・北陸新幹線の列車もすべて集結するため、列車は一日中発着。東海道に負けないにぎわいぶりを見せている。

最初の新幹線・0系と100系

1964年10月の新幹線開業時、東京駅に姿を現した車両は、もちろん0系だった。1986年には初のフルモデルチェンジ車・100系が登場。2階建て食堂車・グリーン車の連結などで話題となった。

ともに衝撃的なデビューを飾った0系（左）と100系。0系●マイクロエース、100系●TOMIX

山形・秋田新幹線↓

E6系

「新在直通運転」をおこなう秋田新幹線用の車両で、東北新幹線区間で最高速度320km/h運転をおこなうために開発された。●TOMIX

E3系1000番台・2000番台

山形新幹線新庄延伸に伴い新造された1000番台と、400系の置き換えとして2008年12月から投入された車両が2000番台。●TOMIX

北陸新幹線↓

E7系・W7系

2015年3月14日の北陸新幹線金沢開業に向けて開発された新幹線車両で、2014年3月15日から『あさま』として東京～長野間に先行投入された。●TOMIX

北海道新幹線↓

H5系

2016年3月に北海道新幹線向けの車両としてJR北海道が導入。E5系同様、E6系と東京駅・仙台駅～盛岡駅間にて併結運転がおこなわれている。●TOMIX

Nゲージで遊ぶ長編成

CONTENTS

※本誌の内容は隔月刊「エヌ」に掲載された記事を再構成したものです。

知りたい・つなぎたい

編成が楽

しい急行列車

かつて日本全国の幹線からローカル線まで、速達列車として走った急行。
時代の流れで役割は特急に移ったが、
多彩な編成で楽しませた列車たちを模型の世界で復活させよう。

文◎児山 計　写真◎金盛正樹

急行型ってなんだ？

急行に使用される車両は、特急用とも、近郊、通勤用とも違う特徴を持っていた。独自のポジションを獲得していた車両を研究してみよう。

車両の定義

国鉄時代の急行型車両は「客室が出入り口と仕切られ、横型の座席を備え、長距離の運用に適した性能を有する車両形式のもの」となっていた。

基本的には普通車の場合、デッキ付き、片側2ドアで座席はボックスシートというのが標準となっている。

ボックスシートはゆとりのある寸法、クッション性のよさ、肘掛けや大きめのテーブルの設置などで近郊型と差がついていた。

例外になる車両

ただし例外はある。ひとつは北海道仕様の車両で、これらは防寒のため客室とドアはデッキで仕切る構造になっている。そのため711系やキハ22は近郊型電車・一般型気動車のカテゴリーでありながらも、急行型同様のデッキ付き2ドアクロスシートとなっている。

もっともこれら2形式は道内急行列車としても使われており、711系にいたっては洗面台まであるので、実質的には「限りなく急行型に近い近郊型」といっても差し支えない車両だ。

クハ165

165系

1963年に登場。信越本線、上越線、中央本線などの連続勾配走行に対応するため153系電車をベースに、より高出力のMT54モーターと抑速ブレーキを装備。さらに耐寒・耐雪構造を強化している。

地方路線での運用を考慮してクモハ+モハ+クハの3連を基本に、サロやサハシを適宜組み込むシステムとなっている。

『佐渡』『アルプス』『信州』『妙高』など、直流区間の急行列車に使われた。

モハ164-800

サロ165

457系

1969年に登場。交流50／60Hz両対応の交直流急行形電車で、クモハ457とモハ456の2形式。クハ・サロ・サハシは455系と共通となっている。

457系は455系・475系の3電源バージョンであり、これら3形式は電源まわり以外の差異はない。

東北・北陸・九州の主要幹線で活躍したが、1970年代後半より急行の特急格上げが進むと、次第に快速・普通列車の運用が増えていった。

サハシ455

モハ456

クモハ457

キハ58系

1961年に登場した急行型気動車で、2エンジンのキハ58、1エンジンのキハ28、グリーン車のキロ28を基本とする。バリエーションとしては北海道用のキハ56系、アプト区間対応のキハ57系などがある。

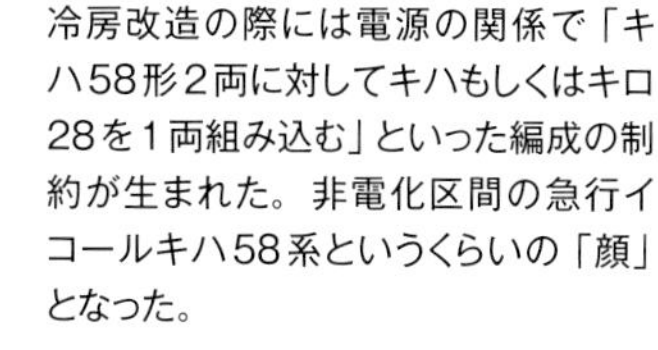

冷房改造の際には電源の関係で「キハ58形2両に対してキハもしくはキロ28を1両組み込む」といった編成の制約が生まれた。非電化区間の急行イコールキハ58系というくらいの「顔」となった。

キハ58　キハ28　キロ28

12系

1969年に登場した急行型客車で、シートピッチが拡大されたり冷房が搭載されるなど、これまでグリーン車を除き冷房がなかった急行客車列車のグレードアップに寄与した。

スハフ12・オハフ13・オハ12の3形式があり、グリーン車・ビュッフェといった設備の車両はない。スハフ12とオハフ13の違いはサービス電源用の発電機の有無で、スハフ12の発電機は自車を含めて6両分の電源を供給できる。登場直後には、日本万国博覧会輸送で臨時列車として八面六臂の大活躍をした。

スハフ12　オハ12　オハフ13

準急から急行へ

急行型の電車・気動車は当初、準急型として登場していた。まだ国鉄には「長距離は客車」という認識があり、比較的運転距離の短い準急が先に電車・気動車化されたからだ。

当初は準急として使用された153系。増備の途中で前面形状は低運転台（右）から高運転台へと変わった。
153系●KATO

急行型は2ドア

1ドアの特急型485系。

2ドアの急行型165系。

3ドアの近郊型115系。

4ドアの通勤型101系。

特に明文化はされていたわけではないが、側面のドアの数は特急型が1ドア、急行型が2ドア、近郊型が3ドア、通勤型が4ドアで登場していた。ただし気動車にはこの原則は通用しない。

急行列車でも最速を誇った札幌〜旭川間の711系『さちかぜ』(表定速度85.5km/h)。現在、同区間は789系の特急『スーパーカムイ』が疾走する。711系(右)、789系(左)●ともにマイクロエース

急行列車アラカルト

かつては数少ない特急のサポーターとして、日本全国津々浦々、きめの細かいサービスを提供してきた急行列車。ここではその姿を振り返ってみよう。

スタイルはさまざま

かつて特急は文字通り「特別な急行列車」であり、東海道本線や山陽本線など、主要幹線に数往復運行されるといったスタイルだった。その特急をサポートするのが急行の役割で、幹線はもちろん亜幹線やローカル線にも、それこそ毛細血管のようにきめ細かく設定されていた。

そのため路線や需要によって急行列車の性格はさまざまで、最長16両編成もの長編成を誇った『東海』『ごてんば』がある一方で、2両編成の『なつどまり』といった列車もあった。

運転距離も特急列車と遜色のない1000km近い列車がある一方で、高松〜徳島間の『阿波』のように短区間をシャトル運転するものもあるなどさまざまだった。

統一された車内設備

車両の設備においては普通車は原則としてボックスシート。グリーン車は回転クロスシートが基本だった。短距離列車も長距離列車も役割に関係なく、車内設備は標準化されていた。

ちょっとおもしろいのが供食設備で、客車列車にはオシ16・オシ17という食堂車があったが、電車にはサハシ165など半室のビュッフェのみだった。

気動車にいたっては供食設備のある車両は製造されなかった。昼行であれば分割・併合などで長時間停車中に駅弁を買う余裕もあり、それほど不便はなかった。

多頻度運行列車

急行列車が気軽な移動手段として使われた時代、常磐線『ときわ』の11往復半、山陽本線『鷲羽』の11往復、中央本線『アルプス』の10往復など多頻度運行の列車も少なくなかった。

これらの列車が走る区間は現在も高需要区間で、常磐線と中央本線には特急を毎時2本設定、山陽本線は新幹線が頻発されている。

最長編成列車はこれだ！

利用者も多く、行き先も複数設定されていた列車は編成も長くなった。
今では考えられないが、10両を超える編成が当たり前だった。

東海・ごてんば 1981～1985年の間、『東海』は東京～国府津間で『ごてんば』を連結して運行した結果、在来線最長の16両編成となった。

←静岡・御殿場

東京→

おが・八甲田 1968年のダイヤ改正で登場した『おが・八甲田』は途中で何度も分割併合をするが、上野～盛岡間ではこのような長編成となった。

←上野

キハ58 キロ28 キハ58

キハ58 キハ28 キハ58

キハ58 キハ28 キハ58

キハ58 キハ28 キハ58

キハ58 キロ28 キハ58

秋田・盛岡・久慈・青森→

モデルコレクション

急行型の車両は各メーカーから主要な形式が登場している。
短い編成でまとまる車両が多いので、特急列車をサポートする名わき役としても重宝する。

短編成でも楽しめる

急行型電車は交直流型の一部形式を除いてほぼ発売されている。直流型は153系・165系・169系がラインナップされ、165系・169系にはJR化後のカラーバリエーションもある。

153系は現役時代8～12両編成という長編成がメインだったが、165系は最短3連から楽しめる気軽さが魅力。セットの構成も3両単位の基本・増結セットにサロ・サハシなどの増結車両が別売になった構成。

交直流急行型電車は451系・455系・457系・475系が発売。こちらも165系同様最短3両から遊べる。また、JR化後の地域色もあり、カラーバリエーションにも対応している。

気動車は「なんでもあり」

気動車はキハ58系・キハ56系・キハ65系が揃う。基本的に気動車は1両単位で自在に編成が組めるのが特徴なので、予算の許す範囲で車両を購入しよう。ただし、冷房車のキハ58を使う場合は、冷房電源を持つキハ28なりキロ28を3両に1両の割合で組み込むという制約がある。

それ以外であれば最短2両編成から最大14両編成まで、好きなように編成を組める。さらにいえばキハ56に対してキハ22、キハ58に対してキハ45などの一般型気動車を組み込んでもいいだろう。

末端区間を走る列車はたとえ急行といえど1両で間に合う場合がある。しかし急行型気動車は基本的に片運転台なので、一般型のキハ45型やキハ52型が急行に使われたりする。

12系客車は6両が基本

12系はスハフ12とオハフ13の間にオハ12を4両組み込んだ6両編成を一単位と考えよう。これはスハフ12の電源供給能力が、自車を入れて6両までという制約からきている。

6両以下であればたとえばオハ12を2両組み込んだ4両編成でも成立する。長くする分には6両ごとにスハフ12を組み込めばよい。

このほか、12系の急行では20系寝台車や24系寝台車を組み込んだ編成もあったので、実車を参考にそういった急行編成を組んでみよう。

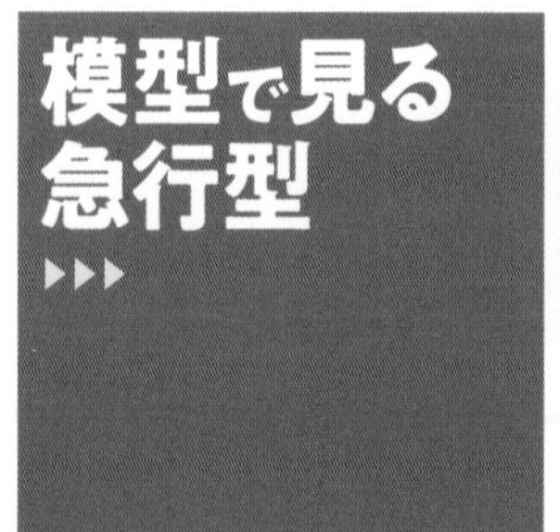

平坦線用の急行型電車。東海道・山陽本線を中心に、8～12連で活躍した。急行型ながら特急『こだま』の代走もつとめた。●KATO

山岳線用の急行型電車。3連を基本に適宜サロ・サハシを組み込んで楽しもう。基本セットの3連でもさまになるのが魅力。●TOMIX

165系に碓氷峠対策が施された車両で最大12連を組む。EF63型電気機関車を連結して峠を上り下りする姿の再現も楽しい。●TOMIX

交直流型電車で、451系は50Hz対応車。東北エリアの急行列車を楽しむならこの車両。455・457系との連結もありだ。●マイクロエース

急行型客車とはいうものの、急行よりも臨時列車のイメージが強い車両。国鉄の機関車ならSLでもELでもなんでも似合う。●KATO

451系のモーターを強化し、抑速ブレーキを付けた車両だがモデル的には451系と見かけは大差ない。●TOMIX

451系の流れを汲み、3電源方式に対応した型式。交直流形急行車両の最終形といえる。東北・北陸・九州で活躍した。●TOMIX

交流60Hz対応の急行型電車で北陸・九州地区で使われた。西日本・九州の急行電車を再現するならこの車両を使おう。●KATO

北海道用に耐寒・耐雪構造を強化した車両で側面窓が小さい。この形式はキハ58と混ぜずに単独もしくはキハ22と連結する。●TOMIX

東北から九州まで、非電化区間の急行列車を一手に引き受けた車両。最短2両から最大14両まで編成のバリエーションは豊富だ。●TOMIX

キハ58の出力増強版。四国や九州の急行列車編成に、キハ28の代わりに1両組み込むといいアクセントになる。●TOMIX

異形式の連結

『草津いでゆ』『上越いでゆ』では、80系と153系の2系式を併結して運転。形状が違う先頭車同士が顔を合わせる姿は模型で再現してもユニーク。

153系（右）、80系（左）●ともにKATO

12系につなげたい機関車

客車急行を牽引させるならこんな機関車を選んでみたい。

EF58

ブルーのEF58は12系とよくマッチする。東海道本線を走る臨時列車のイメージにぴったりだ。●KATO

EF64

急行『ちくま』などをイメージした編成をつくるならEF64の出番。国鉄色の0番台をチョイスしよう。●KATO

EF81

北陸エリアの急行ならEF81ローズピンクがお勧め。電化区間ならどこを走っても違和感がない。●KATO

つなぎの極意

基本セットをベースにどのような車両をつなげば編成が組めるのか？
往年の急行列車にご登場願って、どんな編成で走っていたのかを紹介する。

165系

3両からスタート

165系はKATOとTOMIXから発売されている。KATOからは中央本線で使われた低屋根仕様の800番台『アルプス』、基本番台『佐渡』のセットなど、TOMIXからは基本番台、800番台、新製冷房車が発売されている。いずれも基本3両セットを基本に、増結セット、単品のサロ・サハシで構成。サロはグリーン帯の有無で2種類発売されている。

基本セットはクモハ165＋モハ164＋クハ165。TOMIXの場合は0番台の基本セットAと800番台の基本セットB、モハ165を含んだ4両編成の基本セットCと増結セットがある。

急行らしい編成を組むなら、3両ユニットを2本つないだ6連から、中間に挟まるクハを1両はずして、サロ165を組み込んだ6連がコンパクトでお勧めだ。

なお、165系はクモハ+モハ+クハの3連を基本とするため、4連を組む場合は基本編成にサハ165を組み込むのが基本だが、あえてクハ165をもう1両用意して、クモハ+モハ+クハ+クハのように、クハが2両つながる編成を組んでもいいだろう。これは急行『アルプス』などで実際に見られた編成例だ。また、『東海』『富士川』の編成で使われたモハ165が必要な場合はTOMIXの基本セットCを使おう。

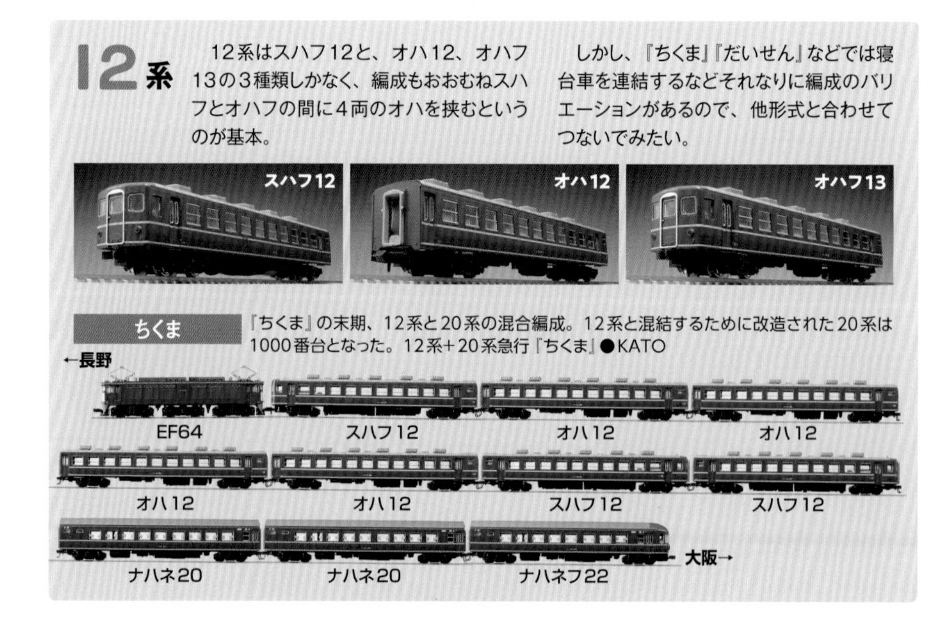

２種類のサハシ165

実車のサハシ165には基本番台と50番台の２種類があり、側面の窓配置や台車が異なっている。Ｎゲージでは KATO が50番台、TOMIX が０番台を発売しており、実車同様の違いをモデルでも楽しめる。

KATO × TOMIX

サハシ165 50番台●KATO

サハシ165 0番台●TOMIX

アルプス

低屋根の800番台で構成された12両編成。
先頭のクハはハイシーズンのみの連結なのでなくてもかまわない。

←飯田・松本

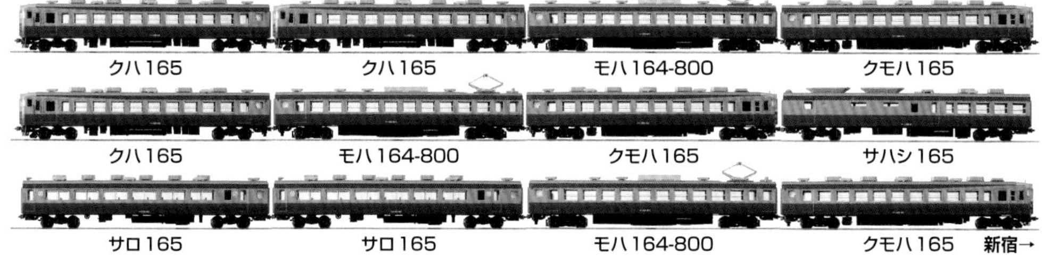

佐渡

3連の基本編成３本にサロ・サハを組み込んだ12両編成。
サロ１両とサハをはずせば晩年の10両になる。

←上野

クハ165　モハ164　クモハ165　サロ165

サロ165　クハ165　モハ164　クモハ165

サハ165　クハ165　モハ164　クモハ165　新潟→

なぎさ

3両ユニットの間にサロを１両組み込んだ編成。
同時期に３両ユニットを１本はずした７連でも走っていた。

←両国・新宿

クハ165　サロ165　モハ164　クモハ165

クハ165　モハ164　クモハ165　クハ165

モハ164　クモハ165

キハ58系

平窓とパノラミックウインドウ

キハ58系の正面形状には2種類がある。初期の車両はコストダウンを目的に正面窓が平窓、後期の車両はパノラミックウインドウとなっている。

特に運用が分けられていたわけではないので、どちらの車両をチョイスするかは好みでかまわないし、一緒に使ってもOKだ。

組み合わせは自由

キハ58はKATOとTOMIXからそれぞれ発売されている。キハ58・キハ28・キロ28の冷房車のほか、TOMIXからはキハ56・キユ25も発売されている。

またパノラミックウインドウ車と平窓車の2タイプが用意されているので、編成にバリエーションがつけられる。

キハ58の編成は基本的に「自由」。冷房の話を抜きにすれば国鉄時代に登場した一般型気動車であればなにをつなげてもかまわない。たとえばいすみ鉄道では、キハ28+キハ52の2両編成で走っていた。

このように雑多な形式で組まれた編成は気動車の醍醐味のひとつ。手持ちの気動車をいろいろつなげてみよう。

「国鉄の急行」というくくりなら、キハ58+キハ28の2両編成を基本に、キハ65やキロ28を適宜つなげる。ローカル急行であれば2～4両編成の列車が多数運行されていた。

キハ65の使いどころ

キハ58冷房車で編成を組む場合に忘れてはいけないのは、キハ58形2両に対しキハ28もしくはキロ28を1両組み込むというルール。電源供給の制限からくる決まり事だが、これを守るとリアルな編成になる。

キハ28については組成上の制限はなく、房総地区のように平坦線の区間なら全車キハ28でもかまわない。

また、キハ28の代わりにキハ65を組み込むと、九州や四国の亜幹線をイメージできる。キハ65は大馬力エンジンと冷房用電源を搭載しており、勾配線の救世主として使われていたためだ。たとえば四国ではキハ58+キハ65の強力な2両編成が『阿波』などで使われた。

キハ65

勾配線での出力不足を補うために製造された車両。500馬力のエンジンと発電機を搭載しており、キハ28の代わりにキハ65を組み込むことで出力低下を補えた。

キユ25

四国にのみ配置された郵便車両。4両しか製造されていないが、正面窓はパノラミックウインドウと平窓の2種類がある。TOMIXからパノラミックウインドウの後期型を発売。

赤倉

勾配区間の中央本線を走る関係でキハ58が中心となっており、キロ28から離れた車両は冷房がきかない。

←名古屋

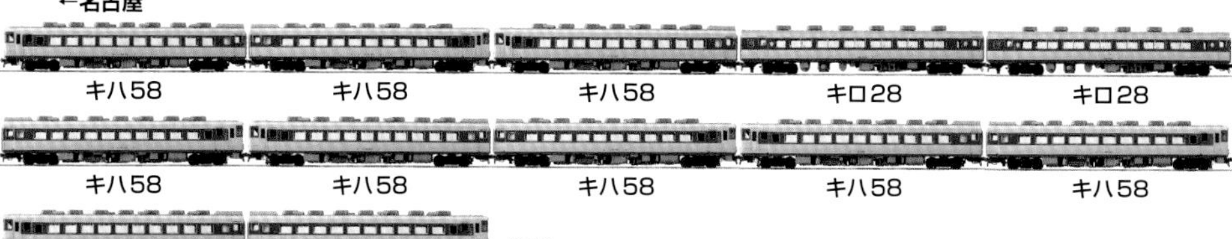

キハ58　キハ58　キハ58　キロ28　キロ28

キハ58　キハ58　キハ58　キハ58　キハ58

キハ58　キハ58　新潟→

しらゆき

キハ58の編成の組みかたの基本がこの『しらゆき・きたかみ』。キハ28・キロ28を組み込む位置に注目。

←青森

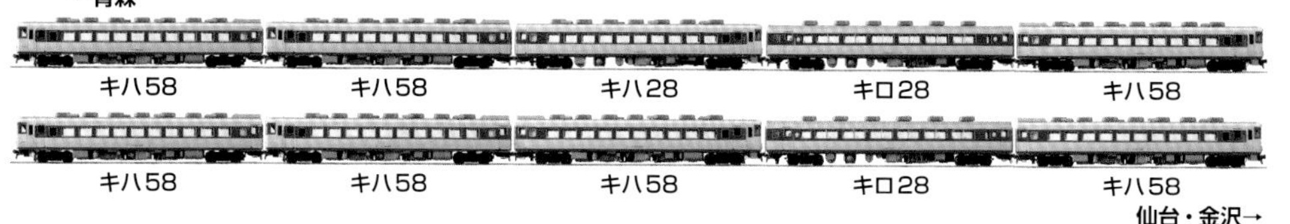

キハ58　キハ58　キハ28　キロ28　キハ58

キハ58　キハ58　キハ58　キロ28　キハ58

仙台・金沢→

分割・併合をNゲージで楽しむ気動車リアル運転術

気動車急行は分割・併合の繰り返しが特徴。Nゲージでも側線に編成を複数用意して、駅に到着したら切り離したりつなげたりを楽しんでみよう。ここでは九州急行の『火の山・ひまわり』を例にあげてみる。

火の山　三角～宮地間の運転。熊本で下の編成に増結される。

キハ58　キロ28　キハ65

ひまわり　別府～大分（博多まわり）　別府からぐるりと北九州を半周して門司・熊本・増結をおこない、熊本～宮地間は13両編成となる。

キハ58　キハ65　キロ28　キハ58

ひまわり　熊本～大分　熊本で増結する2両。ここから宮地までが13両編成、宮地～大分間は10両編成となる。

キハ28　キハ58

ひまわり　門司港～大分　4両編成で別府を発車した『ひまわり』に門司で増結される4両。

キハ58　キハ28　キハ58　キハ65

耐寒設備を備えたキハ56系

北海道での運行を想定して耐寒・耐雪構造を強化した車両でキハ58より一足先に登場。外見の違いは窓が小窓になって二重窓となっている点で、特にキロ26はキロ28と大きく外見が異なる。

北海道内の急行列車の多くを担当していたが、車両新造が間に合わない特急『北斗』との代走もつとめた。

また、一部の車両はジョイフルトレインに改造され、キハ59『アルファコンチネンタルエクスプレス』やお座敷列車にも使用された。

●TOMIX

キハ56

キハ27

キロ26

多層建ての世界

**複数の列車を切り離したり、併結したりして走った急行列車。
間違って乗車してしまい、目的地へたどり着けなかったなんてハナシも…。
模型でも実車の編成を参考に分割併合を試してみよう。**

切ってつないで…

急行列車に多く見られ、特徴ともいえる分割併合。特急列車にも『白鳥』や『かもめ・みどり』のように分割する列車はあったが、急行列車は3列車以上が混成され主要駅ごとに分割・併合する例も珍しくなかった。

165系や451系は最小編成が3両、キハ58系では2両から組め、先頭車には貫通扉が付いているためにローカル線の需要にも適合できたのが理由のひとつ。始発駅を長編成で発車して、途中駅で切り離しながらそれぞれの目的地に到達する列車が多数設定された。

さらに気動車ではほかの路線から来た列車を併合した後に別の駅で分割したり、いったん分割した列車を別の駅で併合するような運用まで組まれていた。

この複雑極まりない運用は正確なダイヤが維持されている、という前提でなければとても不可能なものだった。なおかつ主要駅に連結・開放用の要員を配置しなくてはならないため、合理化が進むと徐々に分割・併合の範囲は縮小された。

電車編

まつしま・ばんだい ①〜⑥＝『ばんだい』、⑦〜⑬＝『まつしま』 ←上野　会津若松・仙台→

①クハ455 ②モハ455 ③クモハ455 ④サロ455 ⑤モハ454
⑥クモハ455 ⑦クハ455 ⑧サハシ455 ⑨モハ454 ⑩クモハ455
⑪サロ455 ⑫モハ454 ⑬クモハ455

ゆけむり・草津 ①〜⑦＝『ゆけむり』、⑧〜⑭＝『草津』 ←上野　万座鹿沢口・水上→

①クモハ165 ②モハ164 ③クハ165 ④クモハ165 ⑤モハ164
⑥サロ165 ⑦クハ165 ⑧クモハ165 ⑨モハ164 ⑩クハ165
⑪クモハ165 ⑫モハ164 ⑬サロ165 ⑭クハ165

妙高・志賀 ①〜⑧＝『妙高』、⑨〜⑪＝『志賀』 ←上野　妙高高原・湯田中→

①クモハ169 ②モハ168 ③サロ169 ④サロ169 ⑤クハ169 ⑥クモハ169
⑦モハ168 ⑧クハ169 ⑨クモハ169 ⑩モハ168 ⑪クハ169

ちくま・くろよん ①〜⑧=『ちくま』、⑨〜⑫=『くろよん』 ←大阪 長野・南小谷→

①クハ167 ②モハ166 ③モハ167 ④クハ165 ⑤クハ167
⑥モハ166 ⑦モハ167 ⑧クハ165 ⑨クハ167 ⑩モハ166 
⑪モハ167 ⑫クハ165 

つくし・べっぷ ①〜⑦=『つくし』、⑧〜⑩=『べっぷ』 ←博多・別府 大阪→

①クハ455 ②モハ474 ③クモハ475 ④サロ455 ⑤サハシ455
⑥モハ474 ⑦クモハ475 ⑧クハ455 ⑨モハ474 ⑩クモハ475 

気動車編

月山・こまくさ・たざわ ①〜③=『月山』、④〜⑥=『こまくさ』、⑦〜⑩=『たざわ』 ←山形・仙台・盛岡 酒田・秋田→

①キハ58 ②キハ28 ③キハ58 ④キハ58 ⑤キハ28
⑥キハ58 ⑦キハ58 ⑧キハ28 ⑨キハ28 ⑩キハ58 

紀州・平安・かすが ①〜④=『紀州』、⑤〜⑦=『平安』、⑧〜⑩=『かすが』 ←名古屋 紀伊勝浦・京都・奈良→

①キハ58 ②キハ28 ③キハ65 ④キハ58 ⑤キハ58
⑥キハ28 ⑦キハ58 ⑧キハ58 ⑨キハ28 ⑩キハ58 

さんべ ①〜④=『さんべ（美祢線経由）』、⑤〜⑦=『さんべ（山陰本線経由』 ←熊本 鳥取→

①キハ58 ②キハ28 ③キロ28 ④キハ58 ⑤キハ58
⑥キハ28 ⑦キハ58 

むろね・よねしろ・さんりく ①②=『むろね』、③〜⑦=『よねしろ』、⑧〜⑪=『さんりく』 ←仙台 盛・宮古・大館・秋田→

①キハ58 ②キハ28 ③キハ58 ④キハ58 ⑤キハ28 ⑥キハ58
⑦キハ58 ⑧キハ58 ⑨キハ58 ⑩キハ28 ⑪キハ58 ⑫キハ28 

たざわ・むろね・陸中・さかり・はやちね ①②=『むろね』、③〜⑤=『陸中』、⑥〜⑨=『たざわ』、⑩⑪=『さかり』、⑫〜⑮=『はやちね』

①キハ58 ②キハ28 ③キハ58 ④キハ58 ⑤キハ58 ⑥キハ58
⑦キハ58 ⑧キハ28 ⑨キハ28 ⑩キハ58 ⑪キハ28 ⑫キハ58 
⑬キハ28 ⑭キハ58 ⑮キハ28 ⑯キハ58 

←仙台・盛岡 盛・宮古・釜石・秋田→

急行ものがたり

現在のJRの列車種別では特急と快速・普通が中心だが、国鉄急行全盛期はヘッドマークを掲げ、地域間輸送の主力として活躍していた。そんな当時の急行列車を振り返ってみよう。

らしくない急行

急行のイメージというと、デッキの付いたクロスシートの車両が地域間を速達で結ぶ感じになる。大部分の列車はその水準に納まっているが、中には特急並みのサービス列車があった。

たとえば『日光』は、世界的な観光地日光へのアクセス列車であり、外国人観光客も多数利用することから、準急（当初）としては破格の設備を持つ157系を投入。所要時間も短縮して「限りなく特急に近い急行（準急）」だった。

逆に車両不足などの事情から臨時列車を中心に401系や115系を使用した急行も走っていた。セミクロスシートの車両では紛れもないサービスダウンで、さらに静粛性もデッキ付きの列車にくらべると低く「これで同じ料金?」と評判は芳しくなかった。

ヘッドマークを付けていた時代

急行列車が鉄道輸送の中心だった時代、一部の列車にはヘッドマークが付けられていた。当初は貫通扉からはみ出すほどの大きなものだったが、分割・併合をする列車の場合取り外しに手間がかかるため、後に貫通扉内に納まるコンパクトなマークが普及した。

世界的な観光地である日光へ向かう準急『日光』は、東武特急と対抗するために、速度に優れたキハ55形を投入。その後デラックスな157系を投入したものの、急行になってからは165系にグレードダウン。東武との競合にピリオドが打たれた。
右からキハ55●TOMIX、157系●マイクロエース、165系●TOMIX

153系vs155系

155系は153系をベースに、修学旅行用にアレンジした車両。見た目はよく似ているが、中央本線走行用に屋根の高さが低かったり、製造価格を抑えるため台車がコイルばねのDT21になっているといった違いがある。座も横5列の「詰め込み仕様」となっている。

153系

155系

台車

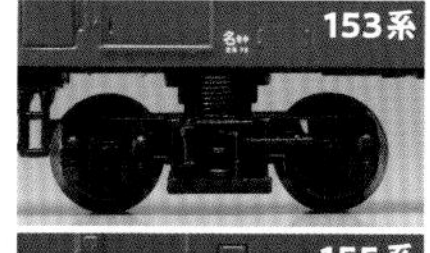

153系は急行用のDT24 ／ TR59で空気ばね台車だが、155系はコイルばねのDT21 ／ TR62となっている。

ドア

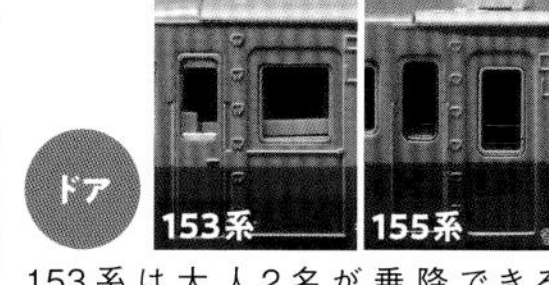

153系は大人2名が乗降できる1000mm幅のドアだが、155系は収容力をあげるため700mm幅となっている。

急行未満の列車

急行列車の中には近郊型車両や一般型気動車を使用したものもあった。それなりの速達サービスが得られるものの、車内設備が急行用の水準ではなかったため、主に近距離の急行列車に投入された。

80系はデッキ付き2ドア・ボックスシートではあるが、座席は簡素なものだった。『天竜』の一部で使用。

3ドアボックスシートだが『かいじ・かわぐち』『なすの・日光』などで使用された。

451・453系の不足のために一部列車が401系で運転。1978年まで運転された。

房総地区の準急や同系列の2エンジン車キハ52が急行『いなわしろ』として使われた。

変化したカタチと色

国鉄末期からJR移行後、急行型車両は塗色を変更したり、改造されたりしながら活躍を続けた。最後の輝きを見せた車両たちを紹介しよう。

カラフルに変身

国鉄時代は直流型=湘南色、交直流型=クリーム+ローズピンク、気動車=クリーム+朱色と決まっていた車体色が、分割・民営化後は各地域、列車によってさまざまなカラーをまとい活躍した。

分割民営化直前の1986年、松本運転所の169系が白を基調にみどりの帯を大胆に入れた塗装で注目を集めた。内装も現代の水準に合わせグレードアップするなどして、急行型の新しい時代を予感させた。この車両は急行『かもしか』として運行され、後に快速『みすず』となっている。

その後、地域ごとにカラフルな塗装をまとった車両が登場。数年でまた別の色に塗り替えられたり、編成ごとに異なる色を塗っている列車もあった。

改造車両も登場

当時の好景気を反映して、リゾートや団体輸送を目的にジョイフルトレインへも多数改造された。165系を改造した『ゆうゆう東海』、169系改造の『パノラマエクスプレスアルプス』やキハ58系改造の『アルファコンチネンタルエクスプレス』などが代表例だ。

また、165系が秩父鉄道へ、169系は長野電鉄と富士急行、キハ28がいすみ鉄道にそれぞれ譲渡されている。このうち富士急行2000形(もと169系パノラマエクスプレスアルプス)といすみ鉄道のキハ28は長く現役で活躍したが運行を終了した。

電車編

169系『かもしか』

国鉄末期の1986年に登場。側面の「N」をデザインした大胆な塗装とグレードアップされた車内が話題を呼んだ。1988年からは快速『みすず』となって1995年まで使われた。169系『かもしか』●TOMIX

165系『ムーンライト』

夜行バスに対抗して座席をグレードアップした165系を投入し、1987年に登場した165系の『ムーンライト』色。全部で4編成があり、それぞれカラーが異なっている。165系「ムーンライト」色 M2編成タイプ●マイクロエース

455系『あかべぇ』

2005年の「福島県あいづデスティネーションキャンペーン」の一環で登場。磐越色をベースにキャラクターの「あかべぇ」が貼り付けられている。455系“あかべぇ”塗装●マイクロエース

475系 JR西日本北陸色

北陸本線の普通列車で活躍していた455・475系を合理化の一環で青一色に塗装変更したもの。旧北陸色や復活国鉄色と組んだ6連の運転もおこなっている。475系北陸本線青色●TOMIX

475系 JR九州色

JR九州に移籍した455・475系は白に青帯の九州色となって活躍した。晩年は鹿児島エリアで普通列車として活躍していたが、2007年に定期運用からすべて外れた。475系九州色●TOMIX

気動車編

キハ58系『べにばな』色

トリコロールカラーの『べにばな』色は、キハ58だけでなく115系も含めて新潟地区の標準的なカラーとなった。90年代の急行列車としても『べにばな』は貴重な存在だった。●TOMIX

キハ58系『たかやま』色

国鉄末期の1986年に登場。側面の「N」をデザインした大胆な塗装とグレードアップされた車内が話題を呼んだ。1988年からは快速『みすず』となって1995年まで使われた。169系『かもしか』●TOMIX

キハ58系 広島色

広島地区で見られた黄色を主体にしたカラー。このほか短い期間だが、黄色の部分がもみじ色になった「広島急行色」も存在し『さんべ』『たいしゃく』などで使われた。●TOMIX

キハ58系 飯山色

飯山線で活躍したキハ58のカラー。晩年は側面ロゴははずされている。この車両の特徴として屋根の冷房装置まで青く塗られている点があげられる。●TOMIX

キハ58系『砂丘』色

キハ58による最後の急行『砂丘』のカラー。キロハ28-100番台とキハ65が加わった、4両編成ながらバラエティにとんだ編成を組んでいた。●TOMIX

さようなら急行列車

JR化後は急行列車もその数を減らしていき、昼行急行は2009年に姿を消した。一時代を築いた急行の輝きは、今でも色あせることはない。

時代は変わる

国鉄の分割・民営化後、急行型電車は1両も新造されていない。国鉄時代からの営業政策の変更で、急行列車は順次特急への格上げか快速への格下げが進められており、1982年11月のダイヤ改正で特急列車の本数が急行列車の本数を上まわり、以降その差は開く一方となっていった。

それでも1980年代後半までは亜幹線の優等列車として、また、夜行列車として運行されてはいたが、1990年代に入ると急速に列車の廃止が進み、1996年に『東海』、1997年に『赤倉』が廃止され電車急行が全廃。気動車急行も2003年に『つやま』がキハ58からキハ47に置き換わることで急行型気動車の急行運用がなくなり、その『つやま』も2009年に廃止された。

夜行で残っていた青森〜札幌間の『はまなす』も北海道新幹線新函館北斗延長に伴い、2016年3月に廃止された。

自由席主体で地域間を気軽に移動できた、当時の急行列車は新幹線のような華やかさはないが地道に日本経済を支えてきた。その列車が果たしてきた役割が色あせることはないだろう。

最後まで残った夜行急行

青函トンネルを通り、札幌〜青森を結ぶ夜行急行。寝台車のほか、グリーン車用リクライニングシートを備えた『ドリームカー』、ゴロ寝ができる『のびのびカーペットカー』が連結されていた。

『はまなす』に連結された車両 14系500番台『はまなす』●TOMIX

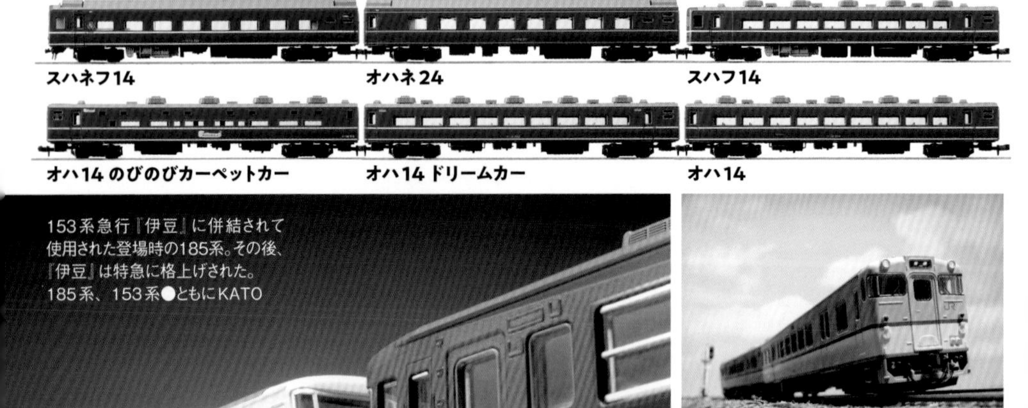

スハネフ14　オハネ24　スハフ14

オハ14 のびのびカーペットカー　オハ14 ドリームカー　オハ14

153系急行『伊豆』に併結されて使用された登場時の185系。その後、『伊豆』は特急に格上げされた。185系、153系●ともにKATO

最後の昼行急行

岡山と津山を結ぶ急行列車として設定された。当初はキハ58を使用していたが、晩年はキハ48、キハ47が使用された。キハ47 JR西日本更新車●TOMIX

たまには違った組み合わせも？

異種併結列車を楽しむ組成術

多様化した車両たちを効率よく運用するために生まれた異種併結の列車たち。
今も昔も見られた列車たちをピックアップしてご紹介。
異種併結にチャレンジしてみよう！

写真・文◎佐々木龍

近郊型電車で多く見られる異形式同士の併結

JR型の異種併結列車

JR各社の通勤路線は固定編成かつ形式も統一されている場合が多く、一般的に異形式同士の運用はほとんど見られない。

一方、近郊型車両は運用範囲の広大さによる増解結や、他路線への乗り入れによる分割運用が多く見られる。さらに運用形式も統一されていないことも多く、JRでは異形式同士による組み合わせでの営業運転も多い。

模型で楽しめる各地の併結コンビを見てみよう

今や全国各地の近郊型列車のほとんどが模型で入手でき、それらで遊べる機会も増えてきた。なかには模型メーカーが異なり、カプラーの問題で肝心の連結ができないこともあるが、ここでは同一メーカーや容易にカプラー交換のできる組み合わせをピックアップ。

JR北海道

交流電車と気動車の併結運用が見られ、模型でも実車が登場後すぐに製品化され、ベストセラーとなっている。

電車は731系で、721系や733系などとも併結運用に就いている。これらの形式も製品化されているが、カプラーが異なるため連結させて運用させるのは難しい。

なお、気動車のキハ201は基本的に731系以外と併結運用されることはない。

電車と気動車では設計は全く異なるが、デザインは統一されている。手前がキハ201系で奥が731系。

JR東日本（交流区間）

701系が活躍する東北地域だが仙台地区にはE721系が導入されており、併結運用が見られる。

701系は鉄道コレクション（以下鉄コレ）でも製品化されているが、マイクロエースからは以前より701系のほか、E721系も製品化されている。

セット内容も2+2の編成で組まれており、中間に位置する先頭車ははじめからアーノルドカプラーなので、これらを組み合わせて併結運用が容易に楽しめる。

製品には先頭車にアーノルドカプラー車が含まれているので、容易に併結できる。手前が701系で奥がE721系。

JR東日本（直流区間）

上野東京ラインの開業により、運用範囲がより広域となったE231系とE233系の近郊型。

当初これらの2形式は個別の運用を組み併結はおこなわれていなかったが、増備編成の関係や遅延時に収拾がつかなくなるなどといった理由から共通運用化され、現在では日常的に併結運用が見られる。

TOMIX、KATOそれぞれから製品化されているE231系（手前）とE233系（奥）は、もちろん併結運用も可能だ。

JR東海

民営化後も引き続き211系の増備を続け、今でも現役車が多く残るJR東海。

その後、同社の主力となる313系を大量導入しており、静岡地区の東海道線や中央線ではこの2形式が混在して運用に就いている。

どちらも基本編成が短編成なので、これらを組合わせる際は自ずと併結となる機会が多いのが特色だ。

手前の211系はグリーンマックス製で、奥のKATO製313系に連結できるようにKATOカプラーの交換対応が可能となっている。

JR西日本

京阪神間を中心に活躍しているJR西日本の近郊型電車である、221系や223系に225系。

これらの車両は設計上併結運用ができ、これらを導入している線区では併結が見られる。

ただし、他線区仕様との併結は通常運用では見られない。

221系から西日本の車両にも注力しているKATO。同社製品であれば、併結も楽にできる。

JR九州

人口の密集する北九州では、近郊型電車も長編成を組むなどする際に併結運用が見られる。

グリーンマックスから製品化されている817系は211系同様にKATOカプラーに対応しており、813系との併結運用が手軽に楽しめる。

JR九州の近郊型電車も手軽に入手できる。手前はKATOの813系。奥がGMの817系。

併結運用を可能とした気動車もTOMIXから製品化済み。

異色の電車+気動車の併結運用
気動車との併結運転特急列車

民営化前後、従来の電車特急を非電化区間へ直通させる需要が高まった。

一部列車はディーゼル機関車に牽引させる方法も見られたが、なかには気動車を併結させる手法も取られた。

そのはじまりは、485系の特急『雷鳥』にキハ65を改造したリゾート車両の『ゆぅトピア和倉』。電化区間は総括制御はしたものの、協調運転はおこなわずに運用された。

その後、JR九州では展望特急気動車のキハ183系『オランダ村特急』をデビューさせる。

同車は世界ではじめて電車との協調運転を可能とした車両で、485系特急『有明』に併結された。

また、1996年には北近畿タンゴ鉄道のKTR8000系が183系との併結運用を開始するが、いずれも短命に終わっている。

KTR8000系の併結相手も同時期に発売。

『ゆぅトピア和倉』の併結相手の485系も製品化されている。

マイクロエースからも併結運用の実績のある気動車が製品化されている。手前の『オランダ村特急』は双頭連結器にこだわらなければ簡単にTNカプラー化できる構造なので、TOMIXの485系と一緒に遊べそう。一方、奥のキハ65形はスカートの加工が必須なので、腕に自信があればチャレンジしてみよう。

『ゆぅトピア和倉』に使用された雷鳥用の485系はボンネット車が多く、併結運用を可能とするため、改造を施された車両がほとんどだった。

気動車の異種併結の目立つ国鉄型

国鉄型の異種併結

現在のように細分化されていなかった国鉄型車両。特に戦後の高性能電車はデザインも一定し、形式も番台区分は多かった。また、それらのなかで運用が組まれており、目立った併結運用は少なかった。

だが、気動車は通勤型でも急行型でも関係なく協調運転ができた上、車両の特性上固定編成を組まれることは少なく、比較的自由に運用が組まれていた。

その結果、特急型を除く気動車は凸凹編成が組まれることも多く、それが国鉄気動車の醍醐味ともいわれていた。

とはいえ、さすがに急行列車に通勤型のキハ30形のような車両が組み込まれることは稀なケースで、凸凹編成がよく見られたのは普通運用だ。

多層建てと直通運転が生んだ力技の併結列車

多層建て列車が生んだ準急『上越いでゆ』

電化はおろか、非電化路線の無煙化もままならない1961年に運転が開始された臨時準急列車『上越いでゆ』。

始発駅は上野駅で、途中渋沢までは4＋4の8両編成で運用され、4両はそのまま上越線を下り水上へ。もう一方は長野原線（現吾妻線）の長野原まで乗り入れた。使用車両は、水上行きが当時最新鋭の153系で、長野原行きは吊り掛け式の80系が抜擢された。さらにこの当時の長野原線は非電化で、しかも無煙化が終わっていない路線。そこで用意されたのは照明などのサービス電源用のエンジンを載せた客車とそれらを牽引する蒸気機関車だ。牽引機はC11も担当しており、製品化されている80系と合わせて再現できる。なお、一部Nゲージで製品化されていない車両もあるがそれらしくは再現できるので、ユニークな多層建て列車を模型で楽しもう。

臨時ではあるが、SLに牽引される旅客営業の電車は希少な列車だった。

153系は水上行きの上越いでゆ。

水上行き『上越いでゆ』（上野・水上）

分岐駅の渋川で153系と切り離し、SLと電源車と連結。もちろんパンタグラフは下ろす。

製品で再現できる国鉄の気動車併結の一例を見てみよう 国鉄時代の気動車編成例

千葉局

気動車王国と呼ばれた千葉局の気動車による普通運用の一例。千葉にいたキハ20系は新製配置後すぐに各地へ転属し少なくなっているので、この系列を除いた車両で編成を組むとそれらしくなる。

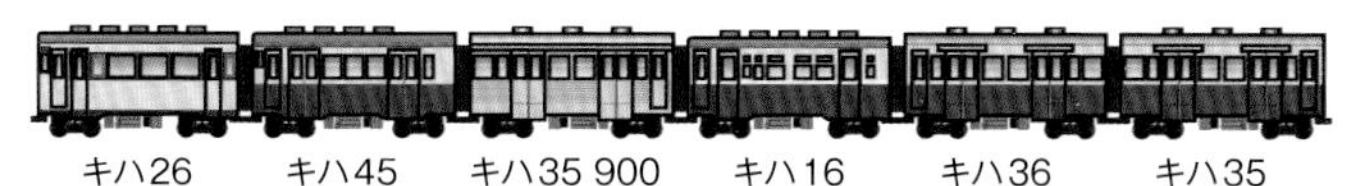

土讃線

千葉局にならんで気動車王国だったJR四国の編成例。Nゲージの完成品は少ないが、郵便車などを入れることで〝らしさ〟は生まれる。

関西本線

国鉄末期は運用を持て余したキハ58系がキハ30系と手を組んで運用されることも多かった。冷房装置の付いているキハ58系だが、普通運用では使用されることもなく、同系列特有の冷房装置の法則を無視して組成された。

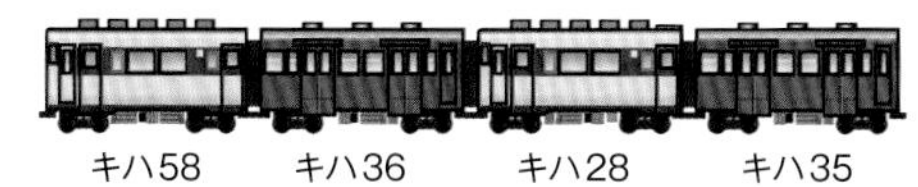

国鉄の新型気動車の併結例も見てみよう 国鉄末期の気動車編成

国鉄末期になると民営化に備えて新型気動車が各地で導入されるようになり、それらは従来の国鉄型から逸脱するデザインで、ステンレスボディになったりと、外観も大きく異なる。

しかし、キハ40系のような比較的後期に製造された車両は廃車にするわけにもいかず、これらと併結できるような設計となった。

JR北海道

国鉄末期に製造された2エンジンのステンレス気動車、キハ54 500番台。道内のローカル線各地で運用され、キハ40と併結される姿が見られる。

鉄コレのキハ54 500番台をTOMIXのキハ40と併結させる場合はどちらも若干の加工が必要だが、TNカプラーが付けられる。

JR四国

気動車王国のJR四国にも国鉄末期には北海道と同じくキハ54のほか、車体長の短いキハ32も入線。キハ58やキハ47との併結も見られたが、このコンビでの組成が多い。

キハ54、キハ32ともにマイクロエースから製品化されている。それぞれ2両セットなので、カプラーの交換をしなくても2形式同士で併結できる。

JR九州

小窓が並ぶ外観が特色のキハ31。キハ40系 九州色とも併結運用されるので、それらの再現もできる。

JR四国のキハ32と同じくマイクロエースから製品化されているキハ31系。どちらもTNカプラーに交換できるので、異形式とつなげて遊べる。

非電化の長野原線へ向かうのは80系。

長野原行き『上越いでゆ』（上野・長野原）

渋川駅で分割

電源車となる車両はオハニ61で代用。

連結

運用方法はフレキシブル
客車列車組成術

比較的自由度が高い運用がおこなえる客車列車。

特に旧型客車は種類も多く、バラエティに富んだ編成が多く見られた。

その一方、20系以降の寝台特急客車や新型の急行型座席車12系などの車両は形式ごとに固まって運用されることが多かった。

しかし、20系以降の客車も併結運用は可能で、国鉄時代から急行『ちくま』のように12系+20系といった併結運用が見られた。

民営化前後には普通客車列車の運用が減少しはじめ、余剰気味になった客車はジョイフルトレインに改造され、客車によるジョイフルトレイン黄金時代が到来する。

ジョイフルトレインは団体列車のみならず、あらゆる臨時列車に起用され、ジョイフルトレイン同士の併結や一般客車との混結編成なども見られた。

また、この頃はスキー臨の運転も盛んで、これらに客車列車を運用することも多く、民営化前後ならではのユニークかつカラフルな列車が多数見られた。

実車はすでに見られないが模型の世界では製品が増え、むしろ再現できる機会が増えている。

五能線に夢空間が入線した時の編成を再現。先頭の展望車はノスタルジックビュートレインで、2両目が夢空間用の電源車としてスハフ14が入り、最後尾に夢空間が連結された。

大糸線のスキー臨で見られた編成の一例。先頭の2両は『ムーンライト九州』に使用される14系で、後ろの4両はモノクラスの14系寝台車。これにあかつき用のレガートシート車が増結された編成も見られた。

展望車同士をつなぎ合わせて運用されることもあったジョイフルトレイン。どちらもフル編成なので、14両の豪華編成に!

セット製品でお手軽に再現可能に！

気動車に組み込まれた客車たち

国鉄ローカル線では運用の都合上、客車列車に気動車数両がぶら下がって営業運転に就くというスタイルはしばしば見られたが、気動車の編成内に組み込まれて運用されることは気動車化改造されたキハ08シリーズ程度で、さほど見られなかった。

民営化前後には余剰気味となった12系の改造が頻繁におこなわれ、福知山に所属していたスハフ12一両がイベント客車に改造され、キハ58系に組み込まれて運用を開始した。

後にジョイフルトレインとして再改造され形式もキサロ59に変わったが、製品化はされていない。また、氷見線では同じく余剰ぎみだった12系がキハ58系に組み込まれ、運用に就いた。

こちらは一般旅客用として組み込まれていたため改造は最低限に済まされ、形式こそキサハ34に改称されたが、塗装以外はほぼ12系時代を維持している。

また、長距離列車の多い北海道では道内のみを移動する夜行列車も多数存在し、それらの列車が気動車化しても寝台車を継続して運用させる必要性があった。

そこで14系寝台車を気動車併結対応の改造をした上で編成に組み込んだ。キハ400充当の急行『利尻』がその最初で、TOMIXで製品化された編成は特急『まりも』仕様で併結相手はキハ183系となっている。

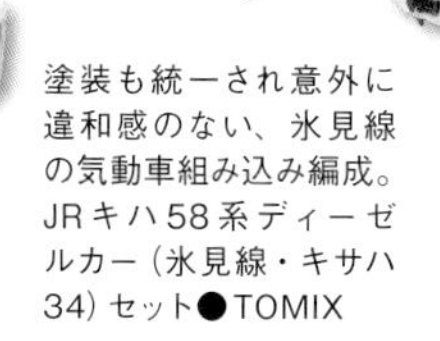

塗装も統一され意外に違和感のない、氷見線の気動車組み込み編成。JRキハ58系ディーゼルカー（氷見線・キサハ34）セット●TOMIX

国鉄時代には存在しなかった気動車による寝台特急列車が実現。JR183系特急ディーゼルカー（まりも）セットB●TOMIX

鉄道会社の個性が光る魅惑の組成術

私鉄併結列車

会社によって車両の運用方針が大きく異なる私鉄各社。

全編成が固定編成で増解結をおこなう運用すらない会社もあるが、一方で短編成を組み合わせて自在に併結をおこなう会社もある。

鉄道会社の路線構成や営業距離などが大きく影響しており、そういった背景を想起させるのもおもしろい。

なかにはカプラーの問題で連結が難しい車両もあるが、併結運用がおこなわれている私鉄各社の製品を紹介する。

関東私鉄

長編成で組成されている会社の多い関東の私鉄だが、分割運用や増結をおこなう会社では併結運用が見られる。Nゲージで製品化されている車両も多いので、そういった運用を模型でも楽しめる。

京　急

800形を除くすべての形式で併結運用ができる京急電鉄。グリーンマックスを中心に製品化されており、同社同士の車両であればカプラー交換せずに併結運用が楽しめる。

グリーンマックス以外に、KATOや鉄コレでも製品化されている京急車両。なお、カプラーが統一されていないのが難点だ。

小　田　急

小田急の通勤型車は2008年まで本線と江ノ島線で分割併合をおこなっていたので、異種併結が見られた。なお、分割運用廃止後も編成両数の関係などから、異種併結はおこなわれている。

小田急の車両は、グリーンマックスとマイクロエース両社による製品が多い。同一メーカーであれば併結も容易だが、他社同士になるとカプラーの交換が必要になる。

東　武

東武伊勢崎線の半蔵門線乗り入れ対応と、曳舟〜浅草間の編成数制限の理由で、柔軟に対応できる車両が必要となり誕生したのが30000系。従来車の10000系とともに、自由に編成数を変えて運用に就いている。

10000系と30000系が同一セットで販売されたグリーンマックスの製品。手軽に併結運用が楽しめる。

京　王

優等列車は10連で運用される京王で、8両固定編成で登場した9000系。10連で運用する際は従来車との併結を前提としており、同社でも異形式との併結運用が誕生した。

マイクロエース同士の製品化だが、残念ながら9000系は増結対応されていないので、加工が必須。

かつては展望車同士の併結も見られた。

種類豊富な車両とその運用法

運用方法いろいろ！名鉄の併結列車たち

支線の多い名古屋鉄道は特急車を除き、4両や2両で組成されることが多く、これらをつなぎ合わせて車両運用に就くことが多い。

また、特急車にも一般車を併結させる運用なども見られ、その運用方法はさまざまだ。

今では基本的に本線では特急車、VVVF車、5000系列、6000系列で運用が分けられた。

しかし、そもそもの車両バリエーションが非常に多いので、同一形式でも異種併結のように見えることも多い。

また、瀬戸線や地下鉄乗り入れ線は運用が独立しているので、これらの併結運用は見られない。

運用整理前の名鉄では制御方式が同じであればなんでも併結していた。そのため、流線型の3400系と通常の吊り掛け電車が手を組むことも。

現在は同系列での併結が多くなったが、同系列の車両バリエーションも多いため、併結シーンは健在だ。

自由形での併結も楽しめる。小型電車に2軸貨車1両の、いかにも田舎電車といった風情の編成を再現！

小型電車を中心にお手軽に遊んでみよう！

その他、民鉄での併結運転

大手私鉄以外にも併結運用をおこなっている鉄道会社は多く、むしろ地方私鉄になればなるほどユニークな運転方法をしている鉄道会社が多い。

しかし、製品化されている車両は少なく、模型で再現するのは難しかった。

だが、人気のある私鉄は併結運転を楽しめる。

箱根登山鉄道の3000形アレグラ号は従来車との増結運用を目的として製造されているため、導入当初された併結運用で活躍している。

NゲージでもTOMIXから3000形と2000形のどちらの車両も製品化されているので、併結運転が楽しめる。

また、江ノ電でも併結運用は日常的におこなわれている。

かつては一部車両は併結運用ができなかったが、今では車両形式や駆動方式など関係なく、2+2の4連で運用されている。

また、各地方私鉄でもかつてはさまざまな車両との併結運用がおこなわれていた。

ことでんが1070系引退イベントの一環で吊り掛け駆動のレトロ電車との併結運転をおこなったのもその一例だ。ことでんは鉄コレから多数製品化されているので、厳密には車種が異なるが、引退イベント時の併結運転の列車を“らしく”再現できる。

3000形の導入により、外観の異なる形式同士の併結運用が見られるようになった。

江ノ電では日常的に異形式同士の併結が見られる。

ことでんの1070系ラストラン時におこなわれた併結運転を再現。レトロ電車は厳密には車両が異なるが、模型映えするカラフルな列車に仕上がった。

B4サイズでつくる

レイアウトを彩る懐かしの街

レールを敷いて列車を走らせるとき、
ストラクチャーを周囲に置けばそこに新しいドラマが生まれる。
どんな街を、どんな列車が走り抜けていったのか想像しながら遊んでみよう。

ジオラマ製作◎N.NAWA　撮影◎奈良岡 忠

昭和30年代後半の商店街。
街にみなぎる活気と喧噪を再現する

最優秀男優賞受賞
荒野の八人
全米大ヒット作品がついに上陸
中華幸楽
たふせ

映画『ALWAYS』のような
レトロな商店街をイメージ

テーマは商店街。表通りに面した入り口から伸びるメインストリートを軸とし、沿道に商店のストラクチャーを配置した。そこから横手へ伸びる路地をいくつか設け、街の"裏側"を表現したのもポイントだ。

時間の設定は夕方。下校途中の小学生、今夜の献立は何にしようかと商店の軒先で品定めをする主婦、早めの一杯とばかりに歓楽街をぶらぶらするサラリーマン…。フィギュアを置くことによって、街の中に生活の営みが感じられるようになった。

車両の配置は、多すぎないようにするのがコツ。あくまでも主役の街を引き立てる脇役として、適宜配置しよう。

昭和の商店街

メインストリートには喫茶店、理髪店、薬局、パン屋などが軒を連ねる。車道にあふれる買い物客、列をなす配達トラック、活況を呈する商店街こそ昭和の象徴である。人もクルマも一生懸命だった時代だ。

ヒミツの路地裏

長屋の軒先、隣家とブロック塀で仕切られたわずかな路地裏だって、子どもたちの遊び場になる。物干し台から子どもの様子をうかがう母親の姿も、郷愁を誘うワンシーンだ。

誘惑の歓楽街

商店街から一歩路地へ入ると、そこはネオン輝く大人の世界。腕を組むカップル、足元がおぼつかない酔客、呼び込むママさん…。悲喜こもごもの人生模様を再現した。

雑踏の街角

商店街を反対側から見てみよう。焼き芋の屋台のそばに鎮座する椋の大木。きっと、この街の歴史を見守ってきたであろう。集合住宅のひとつ一つの窓にもドラマが潜んでいそうだ。

1

2

3

4

虫の目レンズが捉えたマクロの世界
聞こえてくる街と人の息づかい

5

❶「奥さん!活きのいいのがはいってるよ」と、魚屋の軒先から聞こえてくる威勢のいい掛け声。「今夜は魚にしようかね」 ❷雑居ビルから出てきた御兄。子分の出迎えるクルマにさっそうと乗り込む。「兄貴!おつかれさまです!」 ❸買い物客でにぎわいをみせる夕方の商店街。「ブルン、ブルン」「プップッー」。人波を避けるように、バイクやトラックが先を急ぐ。 ❹「ケン、ケン、パッ」。ゲームのない昭和の時代、路地裏は子どもたちにとって格好の遊び場だ。❺モータリゼーションの到来で、表通りを行き交う車両も激しさを増す。「次のバスは何時ですか?」 ❻焼き芋の屋台からは、食欲をそそる香りが立ち込める。「おじさん、ひとつちょうだい」「熱いから気をつけなよ」 ❼「毎度〜、酒屋です」「ごくろうさま」。その奥ではスナックのママが酔客に声をかける。「お兄さんたち、もう一軒いかが?」

6

7

夏祭りに浮足立つ、昼下がりの住宅街

夏の住宅街には、浴衣姿の人々が似合う

街の中心に据えた銭湯。昭和30年代後半〜40年代にかけては、まだまだ需要も旺盛で、庶民にとっての社交場であった。大きな瓦屋根と高くそびえる煙突は、街のシンボルである。

木造住宅が主流のこの時代を再現するために、平屋住宅や角屋、医院などレトロな街にはぴったりのアイテムを使った。

住宅の立ち並ぶ一角に広場を設け、夏祭りのシーンをつくった。盆踊りに興じる浴衣姿のフィギュアを立たせ、櫓の周囲には露店を配置。神輿を担ぐ男たちも、祭りの雰囲気を盛り上げてくれる。

デッドスペースとなる銭湯横のスペースには資材置き場を、お祭り広場には納屋を置いた。すんなりと街に溶け込み、違和感はない。

車両の登場は最小限に抑え、人間が主役の街並みとした。

街角の製材所

材木置き場は、『町工場A』のパーツを転用したもの。レイアウト上、半端なスペースが生じた際には、建物の一部や樹木を置いたり、公園として活用したりするのも手。

長屋の物干し台

1階に商店が連なる長屋。2階の物干し台では、お母さんが洗濯物を干す。ちょっとしたスペースにフィギュアを置くことで、街にも建物にもいきいきとした表情が生まれる。

民家の軒先

各家庭にエアコンのなかった時代、涼を求めるなら縁側で涼むのがいちばん。フィギュアを座らせ、夏の一コマを再現した。蚊取り線香の煙が立ち込めてきそうだ。

路地裏の町医者

街中でひときわ目を引く洋館風の建物は医院。和の街並みにアクセントを与える建物だ。ガレージには、お医者さんが乗る赤いセダンを置いてみた。

祭りの広場

盆踊りの櫓と露店は、活気ある夏祭りをつくる際の必須アイテム。フィギュアも多数置いて、賑やかな雰囲気を演出した。神輿を担ぐ人たちは、つくりが繊細なKATOのフィギュアを使用。

1

目線を下げ、近づいてみれば
街の声が聞こえてくる。

2

3

4

5

❶「わっしょい、わっしょい」威勢の声が、街中に響き渡る。神輿は祭りの華。「がんばれよ～」と見物客も声をかけ、担ぎ手たちの手にも力が入る。❷「ひとっ風呂浴びてくるか」と、桶を片手にタオルを引っ提げたランニング姿のおやじさん。炎天下の昼下がり、銭湯で汗を流すのも昭和スタイルだ。❸「お祭り楽しみだね」学校帰りの女子生徒たちの華やいだ声。前を歩く男子生徒が気になる様子だ。「ねえねえ、男子たちも誘ってみる?」 ❹「ヨーヨー、ほしい」とせがむ声に、足を止めるお父さん。子どもの手前、カッコいい姿を見せたいところ。「どの色がほしい?」 ❺「おどりお～どるな～ら♪」と、口ずさみながら踊る老若男女。「ドドーン、ドン」太鼓の音色が祭りを盛り上げる。

高度成長期、
庶民が憧れた都市近郊の団地を再現

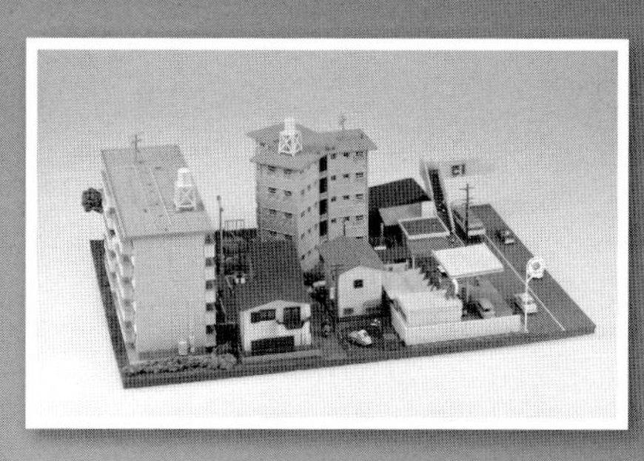

朝日観

子ども・学生・主婦
夕方、団地の主役たち

昭和30年代、急速な都市化により建設が進められた団地。公団住宅と呼ばれた集合住宅には、当時最先端の水洗トイレやダイニングキッチンなどが備わり、庶民にとって憧れの的であった。“団地族”なる言葉も生まれ、住民たちはステータスを感じていたであろう。

ここでは、そんな時代の街並みを再現。メインとなるのは2つの団地で、表通りから続く路地の奥に配置し、一戸建ての住宅を数軒並べることで街の密度を高めた。団地に欠かせない公園も設け、子どもたちの遊ぶシーンもつくった。

また、表通りには往来するクルマや、ガソリンスタンド、タクシー営業所を置き、モータリゼーションの到来も表現した。

この街並みではクルマも重要な要素で、スバル360やミゼットなどの名脇役たちがアクセントを与えてくれた。

国民車のスバル360

小さいボディながらも大人4人が乗車できるスバル360は、庶民にも手の届く価格でマイカーブームの火付け役となった。団地の駐車場にも、ずらりと並んでいたことであろう。

街道沿いのGS（ガソリンスタンド）

モータリーゼーション化によって、街道沿いにはガソリンスタンドが林立するようになった。おなじみの出光“アポロマーク”は、昭和30年代から使用されていた。

子どもの遊び場

団地の敷地内に必ず設けられていた公園は、ゲームのない時代の子どもたちにとって絶好の遊び場。学校から帰ると真っ先に遊びに出かけた。ちなみに当時は“遊園地”とも呼ばれていた。

憧れの建売住宅

団地住民のさらなる夢は建売の一軒家。サラリーが上がれば長期月賦で買い求めよう。高度成長の波に乗って生活が豊かになっていくのを実感した時代であった。

1

2

3

4

街の中にカメラをズームイン！聞こえてきた住民の声

5

❶「10円拾ったよ!」「おりこうさん。よく届けてくれたね」息を弾ませながら駆け寄る小さな来客に対応するおまわりさん。街の頼りになる存在だ。❷「ねぇねぇ、今日のテストどうだった?」「全然できなかったよ…」。それとも「○○クンのこと好きなんでしょ?」「うん、ラブレター出そうかな…」果たして女子高生の会話とは? ❸買い物かごを手にした主婦が団地前で井戸端会議。「3丁目のストアの方が安かったわよ」話題の中心といえば、安売り情報と今夜の献立。またはご近所さんのうわさ話!? ❹街の一角にある空き地に、どうやら新築の住宅が建つようだ。「資材をあそこに置いて…」現場監督があれこれと指示している様子。三輪のミゼットがあちこちで活躍していた。❺「ちはー。米屋です～」「ごくろうさま～」夕方の住宅街では、御用聞きや配達をいそぐバイクが往来する。❻環境問題が声高に叫ばれる現在はなくなったかもしれないが、かつては団地内に焼却炉があった。「精が出ますね」「不要なモノがあったら一緒に燃やしますよ」 ❼「あら、302号室の○○さん、どちらへ?」団地とはいえ、ご近所づきあいが健在だったこの時代。「ちょっとそこまで…」隣人をあれこれと詮索するのはいつの時代も変わらない?

6

7

歓楽街は大人たちの街
悲喜こもごもの人生模様を表現

清酒
横綱
居酒屋 こまつ
伊東不動産
サカエビル
駅前新天地

2つの表情“表と裏”を演出

クルマが往来する表通り沿いには、建物コレクションの『昭和のビル』を配置。背の高い建物が存在感を主張。また、奇抜なデザインゆえに単独では使いにくい円筒形のファッションビルは、賑やかな街並みの中で個性を主張する。ビルとの間に設けた大きな看板が特徴なアーケードは、表通りのファサードにアクセントを与えた。

一方、夜の顔ともいえる歓楽街エリアは、ごみごみとした印象にすべく、大勢のフィギュアを並べた。トミーテックからはそのものずばりの『歓楽街の人々』が発売されており、酔っ払いやホステス、背中を丸めて歩くおっちゃんや怪しげな御兄など、個性豊かな面々が登場する。

地下鉄駅

地下鉄の出入口を設定した。人の流れに動きが生じ、繁華街の入り口にふさわしい表情となった。

アーケード

ビルに挟まれた路地にはアーケードを置き、街並みに変化を与えた。表通りと歓楽街を結ぶわずかな距離ながら、フィギュアをたくさん置くことで賑やかさを演出した。

アーケードを抜けた先に広がるのが歓楽街。狭い路地の両脇に飲食店が並び、屋台などの脇役たちが賑やかさに花を添える。趣きはにわかに大人の街へ…。

アーケードを抜けた先に広がるのが歓楽街。狭い路地の両脇に飲食店が並び、屋台などの脇役たちが賑やかさに花を添える。趣きはにわかに大人の街へ…。

広小路

歓楽街に欠かせないアイテムとして街灯や電柱、自動販売機やゴミバケツなどの小物を配した。これらのキットは、街コレシリーズから流用したほか、KATOのタウンセットやグリーンマックス製を使用。歓楽街に欠かせない広告・看板類が不足し、付属のシールでは臨場感に乏しく苦慮したが、映画の看板などはパンフレットをカラーコピーで縮小して貼り付けた。

歓喜の傍らに潜む危険な罠…路地裏にこもる幾多の駆け引き

❶「警察官と救急車が出動! すわ、事件か事故か?「最近、この通りも駐車違反が多くなったから、取り締まりをしっかり頼むぞ」「はい」。どうやら緊急性はなかったみたい。❷表通りに建つビルの最上階。必死に口説いている男の台詞。「どうだいこの部屋。パパに買ってもらったんだ」それはむしろ逆効果。「ステキね～（ふん、このボンボンが）」女の心の声まで聞こえてきそう。❸昭和40年代半ば、国民的映画となる寅さんシリーズがはじまった。映画館前にはひと組のアベックが。「ごめん遅くなって」「もう上映時間ぎりぎりよ!」待つ女も待たせる男もつらいね～。❹劇場の裏路地に目を向けてみると、演目の合間を縫って表に出てきた踊り子だろうか。情夫を相手に語りかける。「今夜は早く帰れそうにないわ…」「…そうか」なんて平穏な会話ならよいのだが…。❺「兄貴! おつかれさまです」肩で風を切って歩く御兄が、子分の出迎えに軽くうなずく。「例のシノギ、きっちり落とし前をつけとけよ」こちらは、平穏ではないようで…。❻アーケードと歓楽街とが交わる広小路は、大勢の人で賑わう。「ダンナさん、しっかり歩きなさいよ」警ら中の巡査は、息つく間もなく次の現場へ自転車を走らせる。「今夜は酔っ払いばかりだ…」 ❼「最近は景気が悪くてね…。たまには飲みにいらっしゃいよ」「かあちゃんがなんというやら…」よっぽどヒマなのか、ママさんが配達人相手に営業トーク中。

潮風香る港町
漁港の活気と観光地のにぎわいを表現

漁業用燃油安定供給施
和田町漁業協同組合

海と陸の両面に見どころを設ける

上から見ると…

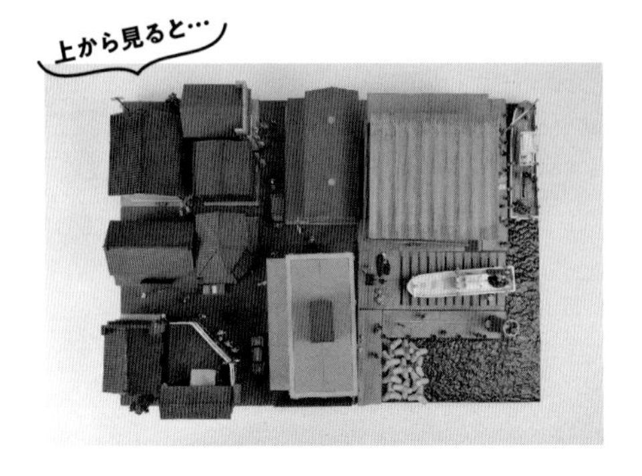

ここでテーマとした港町は、小さな漁港のある、全国各地で見られるごくありふれた光景だ。魚市場や漁港を配置した“海側の面”と、土産物店や食堂、旅館が軒を連ねる“街中の面”の2面構成とした。堤防の先に設けた赤い灯台はジオラマのシンボルとなり、港町らしさを大きく印象づけた。

一方、陸側のランドマークは温泉旅館。そぞろ歩く観光客を立たせ、にぎやかな街並みを表現した。さらに鮮魚運搬のトラックや漁船などの脇役たちが、港町の情景をいっそう引き立ててくれる。

海面をつくったのも特徴のひとつ。ボードを青く塗り、波板パーツを置いただけの手軽な工作だが、水面に浮かぶ漁船や釣り人たちが、リアリティある光景となった。

漁港から一歩裏に入ったエリアは、商店や旅館が立ち並ぶ活気ある街並みとした。狭い路地を往来する商用車や、街を散策する観光客、買い物客たちが主人公だ。

活況を呈する魚市場

早朝、にわかに活気づく魚市場。漁船から水揚げされた魚は早速セリにかけられ、威勢のいい掛け声か飛び交う。

太公望が押し寄せる堤防

よっぽどアタリがいいのか、大勢が釣り糸を垂らす狙い目スポット。その隣のドックでは、作業員が船の修繕にあたる。

海に面した人気旅館

眺望抜群で新鮮な海の幸を提供する旅館は、今日も予約でいっぱい。温泉あがりの宿泊客が浴衣姿で涼をもとめる。

古風な街並みの商店街

魚屋や民芸品店などの商店が軒を連ねる通りは、このディオラマのもうひとつの顔。瓦屋根の続く景観が港町らしい風情を漂わす。

❶「今日はアジが大漁だな」この魚市場には近海ものが中心に水揚げされるようだ。「さあ、アジを買う人は」市場ならではの符丁が飛び交い、トロ箱に入った魚が競り落とされる。❷重さ数十キロ、数百万の値が付きそうな立派なマグロが水揚げされる。「でかいの釣れたな」「最近不漁だったから一発逆転よっ!」漁師の顔もどこかうれしそうだ。❸「どうしたらハマちゃんのように釣れるんですかね～?」「スーさんねぇ、その仕掛けじゃ無理だよ」納得いかない釣果にご不満の様子。まるで映画のワンシーンを見ているかのよう。❹「そこの港で穫れた魚だから鮮度は抜群だよ」海産物屋の店頭では干物がつくられている。「3尾1000円ね…。ちょっとおまけしてよ」「ええい、じゃあもう1尾つけよう」「買った!」　❺港町にうまいものあり。「海鮮丼にお刺身定食、どうぞ寄ってらっしゃ～い」割烹着姿の女将さんが声をかける。「あ～、うまかったな」近所の作業員たちも常連のよう。❻訳あり風の男女が旅館への道を急ぐ。「今夜の宿は清風亭だよ」「うれしいわ。海が望める人気の旅館ですものね」上気した女性の声が聞こえてくる。今宵はうまくいきそう…、男性の安堵の声も漏れ聞こえてきた。❼一方、もう一組のカップルの会話に耳を傾けてみると…。「えー、海の見える旅館じゃないの?」「ここしか予約が取れなくて…」男性の言い訳もしどろもどろ。名前は立派でも道路沿いの旅館は女性には不人気のようで。

市場の喧噪と商店街の雑踏
交わされる会話にカメラが迫る!

電車とバスが行き交う
雑多な駅前を再現

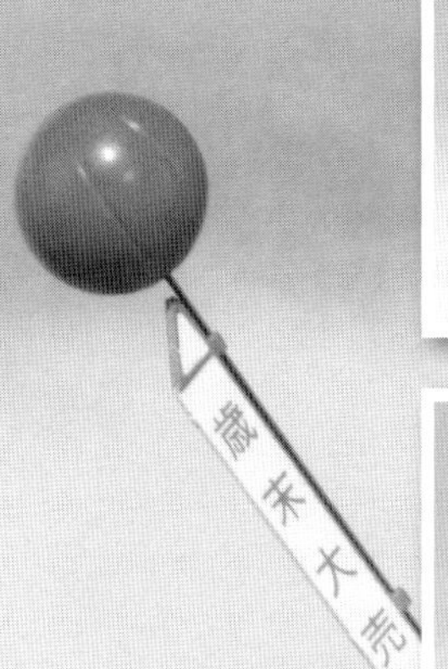
歳末大売

焼肉・しゃぶしゃぶ
大納言
ご予約は
TEL 0123-45-789

愛知建設
寺尾是商店

青島不動産

単行電車の走る私鉄駅前

イメージしたのは昭和40年代半ばの私鉄駅。単線でホームは1面のみだが、列車が発着する度に駅前は賑わい、バス乗り場や商店街に人波があふれる。踏切には列車の通過を待つ自動車が連なり、街のゴミゴミ感に拍車をかける。

一方、ロータリー奥には隣町の歓楽街へと続く路地を、線路沿いの駅裏に当たるエリアには町工場や商店長屋をつくり、生活の営みを感じさせる場面も盛り込んだ。

駅前を再現するにはさざざまな要素が必要で、交番や旅館、おでん屋台やアーケードといったアイテムをふんだんに取り入れた。駅前は雑然としたほうがリアリティがあり、"何でもあり"という側面もある。スペースに応じてあらゆる光景を再現してみてもいいだろう。

通過待ちの踏切

踏切も街中には欠かせないアイテムのひとつ。鉄道情景にはなくてはならないシーンだ。

私鉄の小駅

スロープ状のホームと直結する駅舎は、私鉄沿線でよく見かける構造。乗客や駅員を置けば、いっそう楽しみも広がる。

歓楽街へ続く小路

ホーム裏手の路地は、駅と歓楽街を結ぶ抜け道。足早に向かう人や屋台で一杯やる人など、駅裏っぽい表情をつくった。木造の駅前旅館が貫禄を漂わす。

駅前のロータリー

バスとタクシー乗り場を設けたロータリーを囲むように建物を配置。舗道上にはアーケードを置き、駅から流れる人の動きをつくった。

駅裏の風景

線路沿いには商店長屋と町工場を置き、駅前の賑やかさとは別の生活感ある光景とした。工場の煙突もアクセントとなり見た目にも変化のある街並みとなった。

Nゲージを
思う存分
走らせられる

レンタルレイアウトへ行こう！

緻密につくり込まれたジオラマのなかで
長編成の列車を走らせることができるレンタルレイアウト。
Nゲージの最大の魅力のひとつでもある、走らせる楽しみを堪能しよう。

「N-Plat」さがみ野店

つねに進化し続けるレイアウトは
お客さまと店主の思いが詰まったひとつの作品

11m×4mの大型レイアウトは大きすぎず小さすぎず理想のサイズ。

レンタルレイアウトの醍醐味すべてが味わえる

レイアウトは平坦線が中心で線形がシンプルなので多種多様な車両や編成に対応しており、思い入れのある車両をストレスなく走らせられる。さらに、ひとりで最大13編成並べられる留置線があり、お気に入りのコレクションをたくさん並べて写真撮影もでき、通えば通うほど新たな楽しみを味わえる魅力あふれるレイアウト店だ。

また、はじめての方も安心して利用できる、約100種類超の日本一豊富なレンタル車両が用意されている点も特徴のひとつ（要問合せ）。しかもほとんどの車両が室内灯付きで、フル編成の再現が手軽に楽しめるのも支持を集める理由のひとつといえる。

店名の「N-Plat」は、プラットホームと"ふらっ"と遊びに来られる店をコンセプトに名付けられたもの。レイアウトは設計から製作をはじめ、メンテナンスや電気配線まで基本的に店主ひとりで手掛けたもので、全12路線あるレイアウトにはさまざまな仕掛けとこだわりが詰まっている。

一期一会のレイアウト

ジオラマは進化形ジオラマ「エボらま」。「エボらま」とは、進化という意味のエボリューションとジオラマを合わせた「N-Plat」考案の造語。

ジオラマは店主が土台からすべて手づくりで製作しており、お客様の声や利用状況を反映して可能な限り改良を加え、つねに進化させている。定期的なリニューアルも実施し、線路レイアウトやジオラマは毎週の

ひとりでも大人数でも楽しめる豊富な留置線に圧倒される。

店内を暗くしてさまざまなシチュエーションで車両走行が楽しめる。

地下駅も人気の撮影スポット。

9・10・11・12番線には自動信号機が設置してあり、豪華な5灯式信号機もある。

ように少しずつ変化しており、つねに利用者を飽きさせない努力には脱帽するばかり。

レイアウト台の土台は、従来のレンタルレイアウトにはなかった収納押込型構造で、収納BOXがレイアウト土台の一部を兼ねている構造。各席に4区画の収納BOXが用意されており、多くの車両ケースを収納できるのもうれしい。

また、レイアウトの中央に空洞がなく、ジオラマやレイアウトに一体感が生まれているのも特徴。緊急時の車両救出用にメンテナンス用ハッチが設置されているが、学校の校庭や牧場などが設置されており、情景に違和感が出ないように工夫されている。

充実したサービスをつねに提供

夜景モードも人気のひとつ。マルチカラーLEDが天井に2本設置されており、夜景モード・夜明けモードがさらに進化し、夕焼けモードや雨天モード、UFO襲来⁉モードなど、さまざまなシチュエーションが楽しめる。また、窓には遮光カーテンが導入され、全貸切時は日中でも夜景モードなどが楽しめるようになり、遊びの幅も広がった。

さらに、偶数月の最終木曜日は店主催の夜景モードなどの運転会が実施されており、通常の利用でも楽しめる機会が設定されているのもうれしい。また、テーマを設けたNぷら運転会もほぼ毎週開催されているので、こまめにホームページをチェックをして、企画テーマに沿った車両を走らせたり並べたりして存分に楽しもう。

また、2時間以上連続で通常利用の方限定で無料券が必ず当たるイベントくじ引きに参加できる長時間ご利用感謝サービスやメンテナンス用品のレンタルをはじめ、ホビーショップタムタム発行のタムカ会員カードを提示すると1時間以上同一路線通常利用で15分無料延長のサービス、誕生日スタンプサービスなど、利用者目線に立ったサービスが他店の追随を許さない充実ぶり。利用時にはスタッフによる親切ていねいな説明があるので、安心してお店に足を運んでみよう!

皆さんそれぞれ思い入れの詰まった珍しい車両を見られるのも運転会の楽しみのひとつ。

SHOP DATA

〒252-0005
神奈川県座間市
さがみ野2-7-24（2階）
（TEL）046-257-0353

アクセス 相鉄線「さがみ野駅」北口徒歩2分

営業時間 土曜日・日曜日 12時～19時
祝日（土曜・日曜の場合12時～19時）
月曜日・木曜日 13時～20時
金曜日 16時～22時
定休日 火曜日・水曜日

レイルガーデン

人と人との絆を大切に
走らせる楽しさをより多くの人に届ける

「田舎のレイアウト」の全景。勾配を楽しめるつくりで人気。

先代の意思を引き継ぎ、10周年に向かってさらに進化を続ける

大江戸線蔵前駅から徒歩4分の好立地に位置するレイルガーデンは2013年7月13日にオープンし、2023年で10周年を迎える。現在は創業者である堀田健二氏の甥にあたる、堀田冬馬氏が店主を務め、健二氏の娘のひかるさんがサポートする。

「レイルガーデンを引き継ぐまでは飲食業に携わっており、Nゲージに興味はありましたが、詳しく知りませんでした。しかし、どの世界においてもいえることですが、仕事をする上で最低限の知識は必要です。それまで所有していなかったNゲージを購入し、構造や仕組みを中心に、いちから学びました」

今ではNゲージ沼にどっぷりはまった堀田さんは、所有数も把握できないほどのNゲージに囲まれて生活していると笑う。

走らせる楽しみを存分に楽しめる魅力あふれるレイアウトたち

「市街地レイアウト」と「田舎のレイアウト」の2つのジオラマで構成されており、いずれも（株）ディディエフが製作したもの。

また、バラストも同じくディディエフの“会津バラ

御茶ノ水や秋葉原を想起される風景が広がる。

浅草らしい情景も見て取れる。

3層で立体交差のあるレイアウトは写真や動画撮影にも最適。

山からはもちろん、海からのショットも楽しみたい。

スト”が使われている。

「市街地レイアウトはお店の近所でもある浅草や押上近辺をイメージし、田舎のレイアウトは碓氷峠をイメージしたものです。走らせたい車両や、その日の気分に合わせてレイアウトを選んで楽しめますよ!」

「市街地レイアウト」は5.0m×2.5mの全6路線。新幹線や高速鉄道タイプ、新幹線のフル編成も走らせることができる1・2番線、私鉄、ローカル線タイプの3・4番線、立体交差がある在来線タイプの5・6番線で構成される。

また、「田舎のレイアウト」も同じく5.0m×2.5mの全6路線。私鉄、通勤、ローカル線タイプ（3%勾配、立体交差あり、ヤードあり、10両編成以下）の7番線、私鉄、通勤、ローカル線タイプ（3%勾配、立体交差あり、ヤードあり、10両編成以下）の8番線、在来線峠越えタイプ（3%勾配、立体交差あり、15両編成以下、長大編成は登坂注意）の9番線、在来線峠越えタイプ（内側、3%勾配、立体交差あり、15両編成以下、長大編成は登坂注意）の10番線の構成。

誰でも気軽に楽しめるお店づくりを目指す

場所柄、平日・休日問わず多くの利用者が訪れる同店だが、年齢層も幅広いそう。

「人と人とのつながりを大切にし、ヘビーユーザーから初心者の方まで気軽に来店できる環境づくりを日々念頭に置き、ひとりでも多くの方にＮゲージを走らせる楽しさを体感してもらえるように努めております」

また、鉄道模型や線路、ストラクチャー、ジオラマ用品などの関連商品も販売しており、一部扱っているKATO、TOMIX、マイクロエースのＮゲージ（新品）は20% OFF（要問合せ）。

なお、レンタルレイアウトの利用は電話受付の原則予約制。また、利用当日は途中からの利用時間延長や路線変更も空き状況によりできる場合もあるので、スタッフの方に気軽に相談してみよう。

6線を貸し切って、お気に入りの車両を並べての撮影会を楽しんでみるのはいかが？

SHOP DATA

〒130-0004
東京都墨田区本所1-18-2
大岩ビル3F
（TEL）03-6240-4496

アクセス 都営大江戸線「蔵前駅」徒歩4分

営業時間 12：00～19：00
定休日 水曜日

走らせるならここ!

全国主要レンタルレイアウト一覧

都道府県	店舗名	住所	電話番号
北海道	ポポンデッタ札幌大通店	札幌市中央区南1条西1丁目8-2 MARUZEN&ジュンク堂書店内 地下1階	011-213-0915
	レールパークサッポロ	札幌市豊平区中の島1条1丁目7-8 マルトビル2F	011-598-0976
	SL夢ギャラリー ポッポ爺	亀田郡七飯町大沼町762-2	0138-67-3335
青森県	ホビースタジオ笑輪	十和田市相坂高清水78-56	0176-27-1815
岩手県	IJR(いわて城北鉄道)	盛岡市みたけ6-16-6-103	080-1858-3228
宮城県	仙台模型	仙台市青葉区一番町1丁目11-17 CCR一番町1F	022-261-3489
	Nゲージ レンタル レイアウトランド 旭ヶ丘線	仙台市青葉区旭ケ丘2-26-3	022-273-9997
	ポポンデッタ THE MALL 仙台長町店	宮城県仙台市太白区長町7-20-3号 THE MALL 仙台長町3F	022-796-5677
福島県	ペンションハイジ	耶麻郡北塩原村裏磐梯剣ヶ峯1093	0241-32-2008
	ペンションやじさん(七ツ森鉄道)	耶麻郡磐梯町磐梯七ツ森7084-17	0242-74-1004
	ノスタルジー空間 あ・そ・ぼ	郡山市富久山町福原陣場52-1	090-8787-4660
新潟県	糸魚川ジオステーション ジオパル	糸魚川市大町1丁目7-47	025-552-1511
	ホビーロード	新潟市西区小新南2-1-10	025-378-8155
長野県	レンタルレイアウト アルプス	長野市高田中村294-1	026-226-2473
	みゆきの杜ユースホステル	下高井郡木島平村上木島3783-12	0269-82-4551
	レールホビーショップ ティ&ティ	松本市清水1丁目1番17号	0263-31-0610
	ポポンデッタ イオンモール 松本店	松本市中央4-9-51 空庭1F	0263-88-6378
	リバティーハウス	北安曇郡白馬村落倉大字北城落倉14920-364	0261-72-5324
山梨県	レール・パル351	南巨摩郡富士川町鰍沢5535-1	0556-27-0222
	ロイヤルモデル	甲府市中央2-10-15	055-233-2727
	石和温泉 鉄道ゲストハウス鐵ノ家	笛吹市春日居町鎮目511	050-5212-6392
茨城県	鉄道模型の店キハモハ	土浦市大和町5-5	029-897-3695
	ほぼ国鉄時代のジオラマ	龍ヶ崎市久保台1-1-12 2F	0297-63-5133
	ポポンデッタ イオンモールつくば店	つくば市稲岡66-1 イオンモールつくば1F	029-896-6320
	日立鉄道模型クラブ	日立市東多賀町4丁目3番5号(いわぶち印刷所内)	0294-36-1778
	ポポンデッタ イオンモール水戸内原店	水戸市内原2-1 イオンモール水戸内原3階	029-291-6661
栃木県	壬生町おもちゃ博物館 鉄道模型の部屋	下都賀郡壬生町国谷2300	0282-86-7111
	壬来ステーション(幸来食堂 金龍閣)	下都賀郡壬生町大師町18-1 幸来食堂金龍閣2階	0282-25-5353
	電車ごっこ1185	小山市駅南町3-8-17	070-4217-6651
	鉄道模型ジオラマカフェ	佐野市植野町2003	0283-24-0757
	ポポンデッタ イオンモール高崎店	高崎市棟高町1400番地 イオンモール高崎3F	027-329-5885
	ベアーハンズ	太田市竜舞町5219-5	0276-46-1462
	模型工房パーミル	安中市中宿91-1	027-382-5681
	碓氷峠鉄道文化むら	安中市松井田町横川407-16	027-380-4163
千葉県	ポポンデッタ GLOBO蘇我店	千葉市中央区川崎町1-34 GLOBO1階	043-209-7601
	ポポンデッタ イオンモール幕張新都心店	千葉市美浜区豊砂1-5 ファミリーモール3F	043-306-4716
	ミゼット北松戸店	松戸市新松戸3丁目280-101	047-347-6779
	レボリューションファクトリー本店	鎌ヶ谷市丸山1-9-72	047-445-0481
	石田商店	船橋市夏見台3丁目5-14-1	047-440-8913
	ポポンデッタ モリシア津田沼店	習志野市谷津1-16-1 モリシア津田沼レストラン棟7F	047-409-4320
	ポポンデッタ セブンパークアリオ柏店	柏市大島田1-6-1 セブンパークアリオ柏2F	04-7157-0460
	PLAT LANE(プラットレーン)	野田市上花輪1395	080-8715-9441
	房総中央鉄道館	夷隅郡大多喜町久保102 大手会館	0470-82-5521
埼玉県	モデルトレインプラス	川口市西川口3-16-1 鈴木マンション102	048-242-5994
	ポポンデッタ ララガーデン川口店	川口市宮町18-9 ララガーデン川口2F	048-299-7388
	蕨鉄道	蕨市中央1-32-4 ミワビル1F	048-211-8746
	ポポンデッタ 越谷レイクタウン店	越谷市レイクタウン4-2-2 イオンレイクタウンkaze3F	048-999-6590
	中島工房	春日部市新宿新田332の2 サンハイツ102号	048-746-8813
	スカイホビー	加須市川口1丁目2-6	0480-76-3366
	ポポンデッタ イオンモール羽生店	羽生市川崎2-281-3 イオンモール羽生3F	048-577-5197
	ポポンデッタ with西武トレインミュージアム	川越市新富町1-22 本川越PePe3階	049-299-6770
	ポポンデッタららぽーと富士見店	富士見市山室1-1313 ららぽーと富士見3F	049-257-6801
	ハンペンクラブ	ふじみ野市上福岡1-14-43 NGNビル5階	049-256-8081
	モデル・ドリーム	所沢市くすのき台2-18-29	04-2992-9112
	鉄道模型Alex-アレックス	深谷市人見965-3	048-571-9999

※レイアウトは予約制のところが多いので、事前に必ず確認してください。また、2023年1月現在の情報です。各レイアウトの最新情報につきましては、ホームページ等でご確認ください。

都道府県	店舗名	住所	電話番号
東京都	レンタルレイアウトRe-Color(リカラー)東京店	新宿区上落合1-29-13 NBEビル4F	03-6885-1716
	Nゲージ レンタルレイアウト夢空間	江戸川区小松川3-4-1 エクセルビル4F	03-5858-8788
	レイルガーデン(Rail Garden)	墨田区本所1-18-2 大岩ビル3F	03-6240-4496
	N scale town 西イケ	豊島区西池袋1-18-2 藤久ビル西1号館B1F	非公開
	ポポンデッタ 秋葉原店	千代田区外神田3-3-3 Rail Way BLD	03-5297-5530
	鉄道レンタルレイアウトAKIBA	千代田区外神田4-6-1 塩田トゥール秋葉原	03-3526-2120
	鉄道模型ちゃトラ秋葉原店	千代田区外神田3-3-15	03-3525-4394
	秋葉原ワシントンホテル 鉄道ルーム「クハネ1304」	千代田区神田佐久間町1-8-3	03-3255-3311
	ポポンデッタ with 東武鉄道ギャラリー	台東区花川戸1-4-1 浅草エキミセ5F	03-6231-6145
	モデル トラン・ブルー	荒川区東尾久8-12-16	03-3819-6696
	ポポンデッタ 有明ガーデン店	江東区有明2丁目1-8 有明ガーデンモール4F	03-6380-7524
	Models IMON大井店	品川区東大井5-15-3 井門大井町ビル3F	03-3450-1211
	Models IMON渋谷店	渋谷区道玄坂2-6-16 井門道玄坂ビル7F	03-6809-0444
	Nゲージバー新線	渋谷区円山町23?8 円ビル2階	03-6696-3085
	いさみやロコ・ワークス	世田谷区玉川1-8-3	03-3700-1647
	ポポンデッタ 京王百貨店新宿店	新宿区西新宿1-1-4 京王百貨店新宿店7階	03-5321-5125
	KASHIWAGI CAFE	新宿区西新宿8-19-11	03-3371-6545
	Models IMON池袋店	豊島区西池袋1-18-1 五光ビル6F	03-5950-1067
	庄龍鉄道	板橋区小豆沢4-3-7-301	090-1662-2966
	レンタルレイアウト 吉祥寺リンク	武蔵野市吉祥寺北町2-1-13 B1F	0422-90-1093
	ファインクラフト	西多摩郡瑞穂町箱根ケ崎西松原12-29	042-556-3085
	ポポンデッタ with京王トレインパーク	八王子市明神町3-27-1 京王八王子駅ビル(K-8)5F	042-656-7242
	八王子N 広場	八王子市高尾町1585 TAKAMOビル3F	042-663-5162
	アトリエminamo	町田市原町田4-16-21 キムラヤビル2-1	042-851-8085
	Tb 昭島店	昭島市松原町2-9 ダイヤモンドハイツ203	080-5513-3713
	Tb 青梅千ケ瀬店	青梅市千ヶ瀬町5-627-2	090-8441-9532
神奈川県	ポポンデッタ 川崎アゼリア店	川崎市川崎区駅前本町26番地2-3005	044-589-8139
	Models IMON横浜店	横浜市西区南幸1-11-2 浜西ビル5F	045-290-1527
	ポポンデッタ マルイシティ横浜店	横浜市西区高島2-19-12 マルイシティ横浜5F	045-548-4898
	ポポンデッタ トレッサ横浜店	横浜市港北区師岡町700番地 トレッサ横浜南棟1F	045-330-2973
	PLUS PORT(プラスポート)	横浜市神奈川区神奈川2-11-20 井上ビル201	045-620-8041
	鉄道居酒屋・新横浜機関区	横浜市中区吉田町10 斉藤ビル5階	045-242-8050
	Ark(アーク)衣笠店	横須賀市佐野町6-15	046-850-5750
	N TRAINS レンタルレイアウト	大和市下鶴間656-1 つきみ野サウスビル2B	080-3690-8008
	ポポンデッタ with 小田急トレインギャラリー	海老名市中央1-18-1 ビナウォーク6番館2F	046-236-0750
	ポポンデッタ 西武東戸塚店	横浜市戸塚区品濃町537-1 西武東戸塚店6階	045-443-7284
	Nゲージプラザ小田原	小田原市鴨宮141-12	0465-46-6282
	N-Plat さがみ野店	座間市さがみ野2-7-24 立花ビル2F	046-257-0353
	ポポンデッタ アリオ橋本店	相模原市緑区大山町1-22 アリオ橋本2F	042-703-6716
	レンタルレイアウト 鐡函(てつばこ)	平塚市土屋1680-43	090-3685-1573
静岡県	花月園(レンタルレイアウト)	静岡県伊豆市修善寺1035-8	0558-72-2160
	フジドリームスタジオ501	静岡県富士市比奈666-1	0545-34-1375
	Starry Train (スターリートレイン)	静岡県富士宮市光町15-17	非公開
	ポポンデッタ with 東海道線ギャラリー	静岡県静岡市葵区黒金町49番地 静岡パルシェ 5F	054-269-5928
	タナカトレイン	静岡県静岡市清水区江尻台町22-34 エスジーポート内	090-5454-4798
	ポポンデッタ イオンモール浜松市野店	静岡県浜松市東区天王町字諏訪1981-3 イオンモール浜松市野2F	053-424-9066
愛知県	Nゲージ天国	豊橋店愛知県豊橋市八町通5-55	0532-55-4400
	ホビーショップハピネス	愛知県豊川市駅前通3-25	0533-86-2673
	モデルバーンカフェ名古屋店	愛知県岡崎市康生通東2-37	0564-83-8375
	鉄道屋	愛知県名古屋市西区城西5-12-26	052-523-1150
	グリーンマックス・ザ・ストア ナゴヤ大須店	愛知県名古屋市中区大須3-5-6 矢場町サンコービル2階	052-269-4900
	ポポンデッタ 名古屋大須店	愛知県名古屋市中区大須3-5-6 矢場町サンコービル3階	052-249-5401
	萬鉄道	愛知県名古屋市瑞穂区川澄町3-24-6 サンオーナーズビル川澄	052-842-4581
	かめざき鉄道ジオラマ館	愛知県半田市亀崎町6-81	0569-29-5897
	鉄道模型カフェ浪漫	愛知県一宮市本町1-2-7	0586-23-7375

全国主要レンタルレイアウト一覧

都道府県	店舗名	住所	電話番号
岐阜県	鉄道カフェはるか	岐阜県岐阜市徹明通1-19 KASAHARAビル2F	058-265-7281
	ポポンデッタ イオンモール各務原店	岐阜県各務原市那加萱場町3-8 イオンモール各務原2F	058-372-2277
	ポポンデッタ イオンモール土岐	岐阜県土岐市土岐津町土岐口1372番地の1 イオンモール土岐2F	0572-56-1490
三重県	ポポンデッタ イオンモール東員店	三重県員弁郡東員町大字長深字築田510番地1 イオンモール東員2F	0594-84-6441
大阪府	ポポンデッタ阪急三番街店	大阪府大阪市北区芝田1丁目1-3 阪急三番街北館B1F	06-6147-7975
	アオバ模型	大阪府大阪市旭区高殿3丁目27-11	090-8578-4062
	ジオラマ食堂 てつどうかん(鐵道館食堂)	大阪府大阪市天王寺区寺田町2-5-16	06-6776-2460
	ポポンデッタ 近鉄あべのハルカス店	大阪府大阪市阿倍野区阿倍野筋1-1-43 あべのハルカス近鉄本店ウイング館8F	06-6625-2365
	ホビーランドぽち塚本店	大阪府大阪市西淀川区柏里3-12-29	06-4808-2030
	Cafe & Bar ジオラマ103	大阪府大阪市浪速区日本橋5-12-3	06-6585-7216
	ポポンデッタ 大阪日本橋店	大阪府大阪市浪速区日本橋4丁目10-3 雅光産ビル3F	06-4396-5010
	亀屋	大阪府大阪市浪速区日本橋3-6-22 布谷ビル7F	06-6645-5021
	レンタルレイアウトRe-Color(リカラー)	大阪店大阪府吹田市豊津町16-5 汐田ビル402	06-6155-7152
	エルマートレイン江坂店	大阪府吹田市江坂町1-21-39 土泰第一ビル3F	06-6170-7049
	ポポンデッタ エキスポシティ店	大阪府吹田市千里万博公園2-1 ららぽーとEXPOCITY3F	06-6318-6975
	もけいや松原	大阪府松原市上田6-1-3 サンルミエール101	072-338-9991
	ポポンデッタ ららぽーと和泉店	大阪府和泉市あゆみ野4-4-7 ららぽーと和泉2F	0725-90-4152
	レールウェイ・トイボックス	大阪府泉佐野市旭町13-13	072-496-0247
京都府	三光堂	京都府京都市下京区梅小路東中町42	075-313-1333
	ポポンデッタ イオンモールKYOTO店	京都府京都市南区西九条鳥居口町1番地 イオンモールKYOTO4F	075-644-9220
	グランシャリオ	京都府京都市右京区西院平町30永和ビル2階	非公開
奈良県	レンタルレイアウト サードレール95	奈良県生駒市小明町427-1 ランドヒルパートⅡ 4F	非公開
	やまとたかだトレインワールド	奈良県大和高田市旭南町1-31	080-5301-9961
和歌山県	有田川町鉄道交流館	和歌山県有田郡有田川町徳田124-1	0737-52-8710
兵庫県	ポポンデッタ 神戸ハーバーランド umie店	兵庫県神戸市中央区東川崎町1-7-2 神戸ハーバーランドumieサウスモール4F	078-599-8252
	Dining Car SAKURA	兵庫県尼崎市武庫之荘4-11-2 モンシェリー武庫B1F	06-6480-5751
	ひめじとれいんぱーく	兵庫県姫路市二階町78	079-255-5593
	しそう夢鉄道	兵庫県宍粟市山崎町山崎207-1	090-3494-5686
	Re：Circle-Nゲージレンタルレイアウトのお店	兵庫県加古川市加古川町溝之口725 中村ビル2階B	070-1348-1099
岡山県	ポポンデッタ イオンモール	岡山店岡山県岡山市北区下石井1-2-1 イオンモール岡山5F	086-206-7091
	サンフラワー鉄道ジオラマ館	岡山県倉敷市松島1177	086-463-2719
	湯郷温泉てつどう模型館&レトロおもちゃ館	岡山県美作市湯郷312	0868-72-0061
	トレビック模型	岡山県津山市横山11-28	0868-35-2635
	鉄道&ギャラリー総社クロスポイント	岡山県総社市駅前1-2-1 2階	090-6419-1402
広島県	エディオン広島本店	広島県広島市中区紙屋町2-1-18	082-247-5111
	ポポンデッタ 広島サンモール店	広島県広島市中区紙屋町2-2-18 広島サンモール4階	082-569-5730
山口県	sMALL☆wORLD	山口県山口市阿知須4825-1	0836-43-7396
香川県	あやうたレールウェイ	香川県丸亀市綾歌町岡田西1785	090-7478-7580
	Kトレインワールド	香川県三豊市豊中町比地大2509-8	050-7115-6203
福岡県	ステージ・ワン	福岡県北九州市小倉北区赤坂海岸9-1	093-551-8888
	トレジャートレインズ	福岡県北九州市小倉北区原町1丁目8-20 第38プリンスマンション101号	093-571-3990
	ポポンデッタ アミュプラザ博多店	福岡県福岡市博多区博多駅中央街1-1 J R博多シティアミュプラザ博多8F	092-409-6810
	九州レイルウェイショップ汽車倶楽部	福岡県直方市頓野550-1	0949-26-9600
佐賀県	鉄道カフェ・門トス	佐賀県鳥栖市大正町784-7 佐賀屋ビル3F	0942-80-2332
	鉄道模型とカレー焼き	佐賀県小城市小城町畑田2553-2	090-2966-8544
熊本県	レールワールド人吉	熊本県人吉市中青井町321 ステーションビジネスホテル天守閣1階	0966-24-4180
大分県	モデルレイルウェイ ソニック	大分県大分市錦町2-1-24	097-507-7081
	ポポンデッタ アミュプラザおおいた店	大分県大分市要町1-14 アミュプラザおおいた3F	097-574-4483

BEST FORMATION

長編成を楽しむ列車

Nゲージで長編成を遊ぶなら、実際の列車の編成例を知っておくと役に立つ。
同じ列車でも年代によって編成も変わる。代表的な列車と形式の編成を確認してみよう。

写真◎米山真人

BEST FORMATION ❶

出雲

**長年にわたり山陰本線の王者として君臨してきた『出雲』。
旧型客車からはじまった歴史は、20系、14系、24系と変遷し、現在では285系がその主役を務める。編成の中にある個性的な車両や機関車にも注目してみよう。**

出雲プロファイル

寝台特急『出雲』のルーツは戦後、大阪～大社間で運行されていた準急や急行『いずも』にさかのぼる。当時は『せと』に併結されて一部車両が東京まで乗り入れていたが、1956年11月、正式に東京直通を果たし、同時に列車名も『出雲』に改称された。

1972年3月改正で、念願かなって特急に格上げされ20系化。その後は、24系、24系25型と特急型車両に置き換えられていった。

1978年には東京～米子間の『いなば』を出雲市まで延長。『出雲3・2号』として編入され、2往復体制に。東京～浜田間の『1・4号』は24系25型、東京～出雲市間の『3・2号』は14系と、2形式の車両で運行された。

JR化後は、高速バスへの運賃対策として3段式寝台を復活させる一方、グレードアップ車両の投入など、バラエティに富んだ編成を見せた。

『出雲』にとって転機となったのが、1998年登場の285系だ。客車1往復が『サンライズ出雲』として生まれ変わった。

全国的にブルトレ衰退がはじまる中、米子以東の山陰各都市への便宜をはかるために客車列車も残され、鳥取側は『出雲』、島根側は『サンライズ出雲』と棲み分けをはかりながら2往復体制を堅持していた。

しかし時代の波には抗えず、『出雲』は2006年3月をもって廃止。現在は『サンライズ出雲』がその任を受け継いでいる。

1968年10月～ 急行『出雲』

1951年の急行格上げ当時の名称は『いずも』。スハ43系など座席を中心とした編成だった。1956年の東京直通を機に『出雲』に改称し、10系寝台車を連結したものの数両程度。1964年の東海道新幹線開業後、東海道区間の寝台列車再編によって捻出された車両が充当され、ようやく長距離列車にふさわしい寝台車中心の編成となった。図は旧型客車で運転された急行晩年の編成。

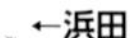

EF58　①ナハフ11　②ナハ11　③ナハ11

④オハネ12　⑤オハネ12　⑥オロネ10　⑦スロ62

⑧オハネ12　⑨オシ17　⑩オハネ12　⑪オハネフ12　東京→

編成のポイント ナロネ21

プルマン式開放寝台の1等車。車内は中央の通路を挟んで2段ベッドが配置され、寝台収納時には対面式の座席となる構造。『出雲』では基本、付属の両編成に連結されており、当時の旺盛な需要がうかがえる。

3形式ある20系のA寝台のうち、ナロネ21は全開放寝台タイプ。車体側面には上段寝台用の小窓が並ぶ。●KATO

1972年3月～ 特急『出雲』

1972年3月ダイヤ改正時、『さくら』『みずほ』などの14系置き換えで捻出された20系を投入。同時に特急へ格上げされ、晴れてブルートレインの仲間入りを果たした。7～11号車は東京～出雲市間の運転だったため、6号車に切妻型緩急車のナハネフ23が組み込まれたのが特徴。個室寝台こそ連結されないもののA寝台のナロネ21が2両連結され、わずか3年と短い期間だったが、華やかな編成を見せた。

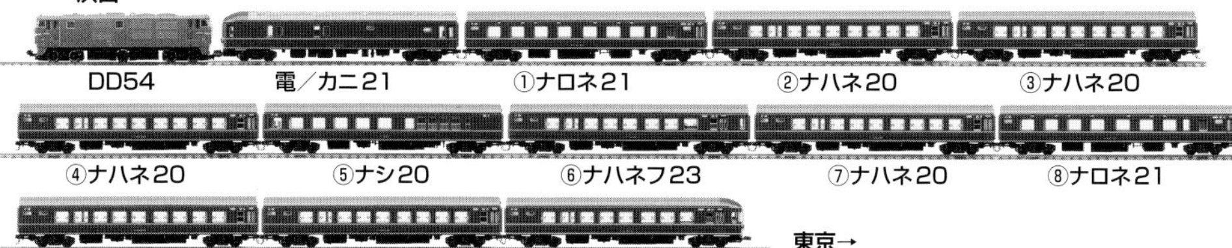

1975年3月～ 特急『出雲』

1975年3月、東京口の列車で『はやぶさ』『富士』と同時に初の24系使用列車となった。24系24形は14系と同様の設計ながら、集中電源方式を採用。帯は白塗装となる。B寝台は3段式だが、20系とくらべて寝台幅が広がり、サービスが向上された。一方、A寝台のオロネ24は14系と同じく、プルマン式開放寝台のままだった。『出雲』は20系時代同様、1～6号車が基本編成で、出雲市で切り離し・併結がおこなわれていた。なお、山陰本線での牽引機はDD51となり、山陰名物のDD54は1978年までに引退した。

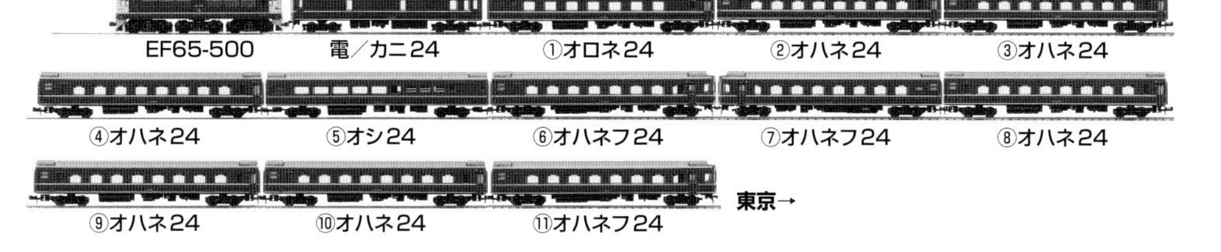

1978年2月～ 特急『出雲』

『はやぶさ』『富士』と共通運用しているため、24系25系化も1976年10月と東京発着では最初だった。車両の変更でB寝台の2段化や、A寝台の個室化がおこなわれたが、両数は24系と同様。A寝台、食堂車ともに同じ号車だった。しかし1978年2月のダイヤ改正以降、それまで基本編成5号車にあった食堂車が、東京～出雲市間の付属編成8号車へ移動する。これは、『あさかぜ1・2号』の24系25型化で食堂車を捻出するため、『富士』『はやぶさ』の折り返し運用に起因するものだった。

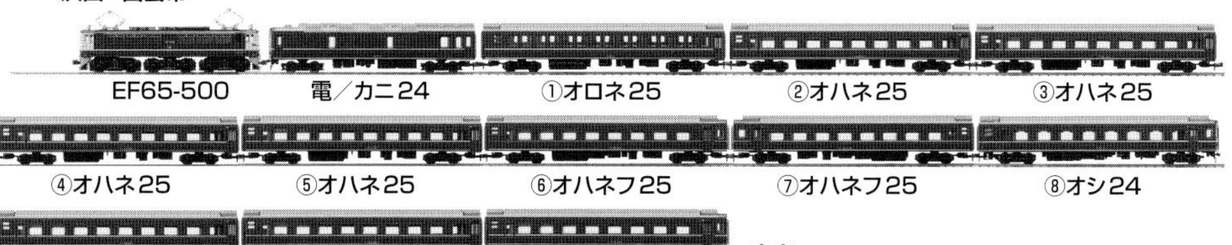

1978年10月～ 特急『出雲3・2号』『紀伊』

東京～山陰間のブルトレでは、1975年から米子発着の『いなば』が運転されており、東京～名古屋間では紀伊勝浦発着の『紀伊』と併結運転をおこなっていた。1978年3月ダイヤ改正では運転区間を出雲市まで延長し、『出雲3・2号』に改称。14系の編成や『紀伊』との併結はそのまま引き継がれ、セミ集中電源方式の14系の性能を発揮した運行形態がとられていた。6号車に食堂車を連結していたが、東京発が20時台（後に21時）と遅かったため、非営業だった。

1984年2月～ 特急『出雲3・2号』

『いなば』時代からパートナーを組んだ『紀伊』の廃止により、単独運転となった『出雲3・2号』。食堂車のオシ14も外され、精彩を欠く編成となった。とはいうものの、多客期には9、10号車を連結し、旺盛な需要に対応。また、1989年には3号車に3段式B寝台を復活させ、話題となる。一見、サービス低下と思われるが、これは当時台頭してきた夜行高速バスに対抗するための策で、通常価格よりも割安な『出雲B3きっぷ』が山陰側のみで発売された。なお、JR化後は『1･4号』はJR東日本、『3・2号』はJR西日本の管轄となった。

1991年3月～ 特急『出雲3・2号』

精彩を欠いていた『3・2号』も、1991年3月ダイヤ改正時に登場した編成で面目を一新した。それまでのプルマン式A寝台に代わってA個室の『シングルデラックス』、さらにB個室の『ツイン・シングルツイン』が組み込まれた。編成中、金帯を巻く2両は異彩を放ち、2段窓となったオハネ14-300（編成図では逆サイド）は注目の的だった。これらは『出雲』離脱後、『あかつき』に転用された。

1992年3月～ 特急『出雲1・4号』

1987年には『あさかぜ1・4号』と同様の24系25型グレードアップ車両（B寝台や食堂車をアコモ改造）を時折使用。だが食堂車は1991年に営業休止となり、フリースペースとなった。外観は金帯3本になったが、オロネ25だけは改装されず銀帯のままだった。また、『あさかぜ』名物の2人用B個室『デュエット』は連結されない。1988年から基本編成は1～4号車に短縮され、2006年の『出雲』廃止まで運用された。また、1993年9月～1995年11月まで山陰本線京都口の電化工事による影響で、『出雲1号』は伯備線経由の迂回運転となり、岡山～米子間はDD51による重連運転がおこなわれた。

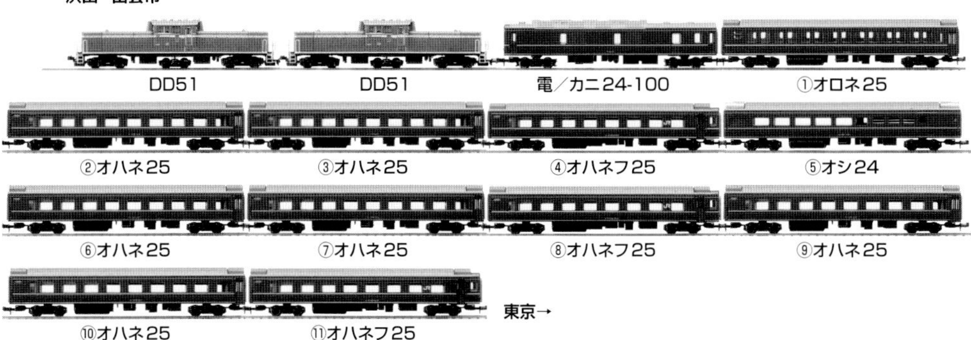

1998年7月～ 特急『サンライズ瀬戸』『サンライズ出雲』

1998年は『出雲』にとってエポックとなった年。寝台電車285系の登場によって『3・2号』が『サンライズ出雲』として新たなデビューを飾った。『シングルデラックス』や『シングル』といった個室中心の編成。さらに伯備線経由での運行となり、東京～岡山間は同じく客車寝台『瀬戸』から転身を果たした『サンライズ瀬戸』と併結運転を実施。オールダブルデッカー14連の堂々たる姿を見せつけてくれる。

※1～7号車は『サンライズ瀬戸』、8～14号車は『サンライズ出雲』

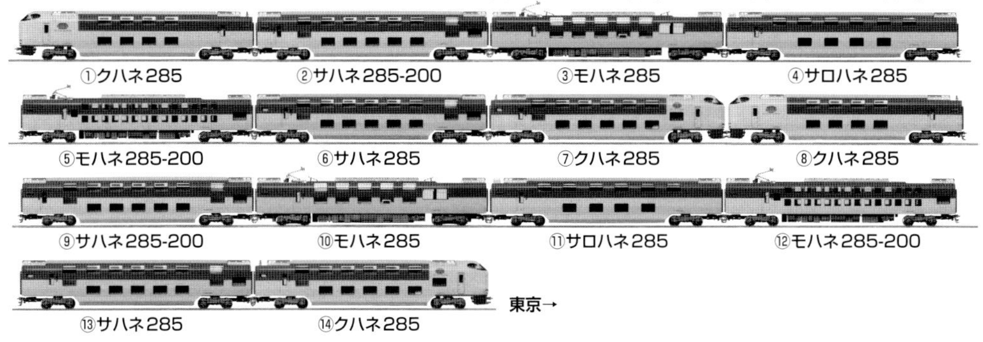

編成のポイント **オハネ14**

3段寝台で登場した14系は、1980年代から2段式への改造がおこなわれた。寝台特急ではすべて2段式にされたものの、『出雲3・2号』ではあえて1両だけ3段式寝台を連結。割安運賃で寝台を提供して、高速バスに対抗していた。

『出雲3・2号』の3段式寝台は、1989年から『サンライズ出雲』化される1998年まで連結されていた。●KATO

BEST FORMATION ❷

はつかり

長きにわたって東北本線で活躍した『はつかり』は、SL時代の客車をはじめ、初の気動車特急となったキハ80系、昼夜兼用の583系、バラエティに富んだ485系など、多彩な編成で運転されてきた。歴史ある東北特急の変遷をたどってみよう。

はつかりプロファイル

1958年10月、東京と東北地方を結ぶ初の特急列車として誕生した『はつかり』。1日1往復、上野～青森間を常盤線経由で12時間かけて結び、青函連絡船を介して北海道輸送を念頭にしたダイヤが組まれた。

蒸気機関車が牽引する旧型客車を主体にした編成は、同日に20系がデビューしただけに東海道・山陽筋の特急とくらべ見劣りしたが、その後1960年にはキハ80系、1968年には583系と続々と最新車両が投入され、期待の大きさがうかがえた。

1973年からは485系も仲間に加わり、運転本数も増加したが、1982年、東北新幹線の開業で大きな転機が訪れる。

運転区間は盛岡～青森間に短縮され、新たに新幹線アクセス特急としての使命が与えられた。需要に応じた短編成化が進められ、485系のモノクラス編成も登場。

JR化以降、半室グリーン車の連結や青函トンネルを通っての函館乗り入れ、485系3000番台リニューアル編成の登場、さらにはE751系『スーパーはつかり』も投入されたものの、その活躍期間は長く続かない。

2002年の東北新幹線八戸開業により特急『つがる』にその任を譲り、半世紀近い歴史に幕を下ろす。

1958年10月～ 急行『はつかり』

東北本線待望の特急となった『はつかり』は、スハ44系客車を主体とした編成で、2等車にナロ10、食堂車にマシ35（1960年6月よりオシ17に置き換え）が組み込まれた。スハ44は京都～博多間の特急『かもめ』で使用されていた旧型車両で、同日に華々しく登場した20系『あさかぜ』と同様のブルートレイン塗装が施されたが、車歴の古さは隠しきれなかった。蒸気機関車の煙を考慮し、下り・上り列車とも上等級車両を編成の後ろに連結。そのため上野方、青森方とも三角線を使って方向転換されていた。

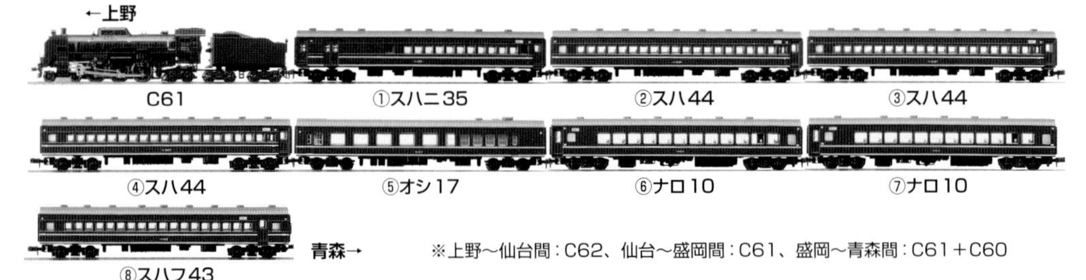

※上野～仙台間：C62、仙台～盛岡間：C61、盛岡～青森間：C61＋C60

ボンネット型先頭車キハ81は、『ブルドック』や『はつかり型』といった愛称が付けられた。●KATO

『はつかり型』と呼ばれたキハ81

キハ80系の先頭車キハ81は、ボンネットスタイルが特徴だ。これは『こだま型』のクハ151をベースとしたのだが、タブレット授受のため低い位置につくられた運転台や、ボンネット内に搭載した発電機関によって無骨な格好となり、付けられた愛称は『ブルドッグ』。最初に『はつかり』に投入されたため、『はつかり型』とも呼ばれた。

1960年12月～『はつかり』

客車編成の置き換えとしてキハ80系が投入されたのは1960年。『はつかり』には日本初のディーゼル特急の名誉が与えられた。ボンネット型の先頭車キハ81と、グリーン車2両、食堂車1両を組み込んだ9両編成で登場し、全車冷房完備、回転式クロスシートとサービス向上がはかられた。しかし、デビュー当時は初期故障で悩まされ、ダイヤも客車時代と同じだった。ようやくスピードアップを果たしたのは翌61年3月で、停車する駅数を変えずに、1時間以上の短縮を実現した。

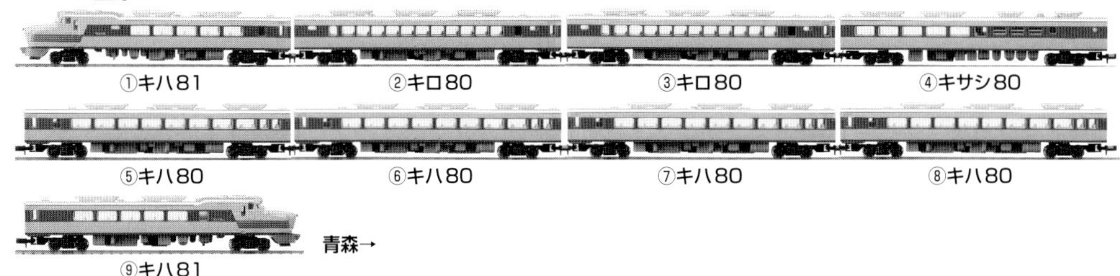

1968年10月～『はつかり』

1968年、東北本線の全線電化・複線化にともない、『はつかり』は常盤線経由から全線東北本線での運転へ。同時に583系を投入し、電車化された。583系は世界初の特急型寝台電車581系の改良型で、電動車ユニットは50/60Hzに対応。ただ付随車となる先頭車（クハネ581）と中間車（サハネ581）は581系のままで、クハネ581は後述のクハネ583登場まで使用されていた。583系の昼夜兼用できる利点を生かし、夜間は寝台特急『はくつる』『ゆうづる』として共通運用が組まれたのも特徴だ。

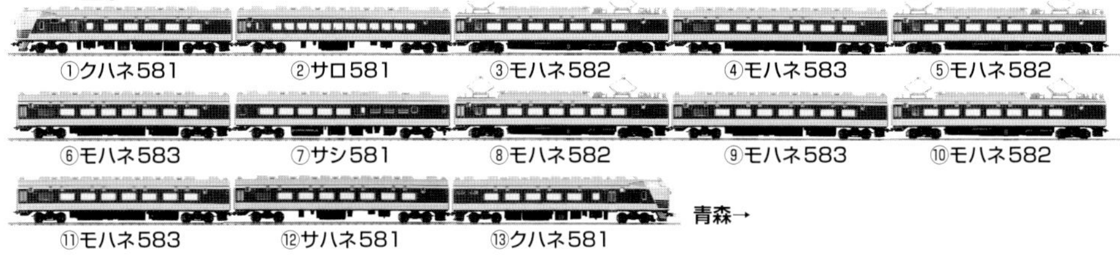

1973年10月～『はつかり』

1973年3月、青森車両所の485系による臨時『はつかり』の運転が開始。同年10月ダイヤ改正時には定期列車に昇格し4往復となった。485系の運転は1往復のみだったが徐々に運用が増え、1978年10月改正時には6往復中3往復を担当し、583系と同等の運転本数に。当初、先頭車には貫通型の200番台が充当されたが、後に非貫通型の300番台も編成に加わるようになった。

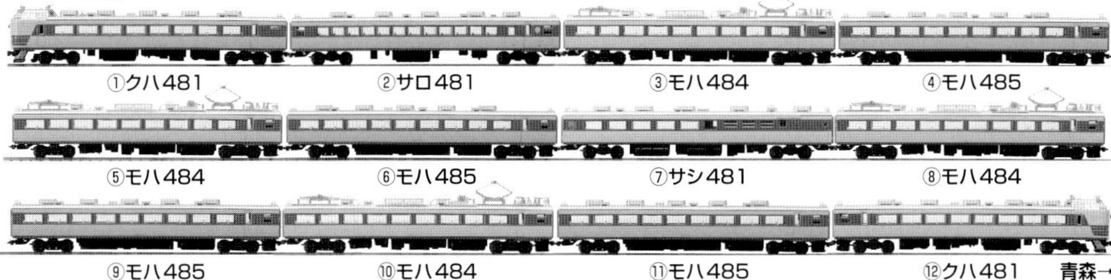

1979年10月～『はつかり』

東北方面の昼行特急に使用される485系は原則として6号車がグリーン車、7号車が食堂車に統一され、583系もそれにあわせて2号車のサロを6号車に組み替えた。また、1970年4月より先頭車には新造のクハネ583が使用され、電動発電機を床下に移したため、1両あたり8人（座席利用時）の定員増加が実現した。

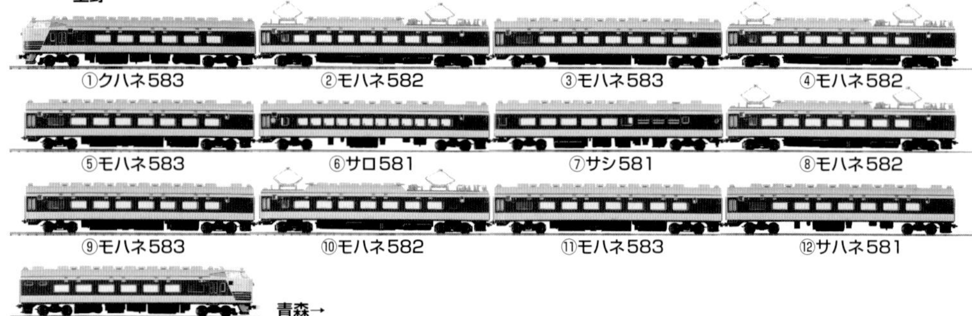

1982年11月～『はつかり』

東北新幹線の開業で盛岡～青森間に運転区間が短縮し、新幹線連絡特急として生まれ変わった『はつかり』。12連だった485系は、サシとモハユニットを1組除いた9連になったほか、図のようなモノクラス6連も現れ、需要に見合った編成となった。ただグリーン車復活の声が高まり、1987年10月ダイヤ改正から6号車に半室グリーン車のクロハ481を組み込んだ6連編成も登場した。1988年からは青函トンネルを抜けて函館まで顔を出すようになる。1991年からは新中小国信号場～木古内間で、当時では在来線最速の140km/h運転を開始した。

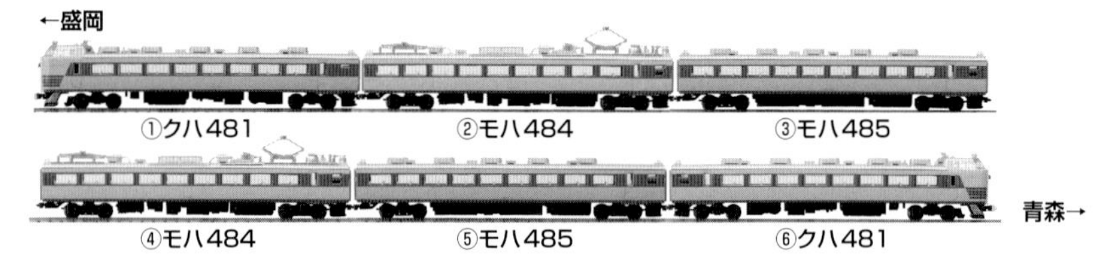

1985年3月～『はつかり』

1982年の東北新幹線開業後も583系13連での運用は続いていた。だが、すでに食堂車は営業休止。1985年3月ダイヤ改正では、ついに9連へと短縮された。しかし多客期には9～11号車にモハネ582、モハネ583、サハネ581を組み込んだ12連で運転されることもあり、かろうじて往時の勇姿を留めていた。なお、1993年12月ダイヤ改正をもって583系は定期運用から離脱した。

1996年4月～『はつかり』

体質改善とサービス向上のため、青森運転所所属の485系6連にリニューアル改造を施したのが3000番台だ。側窓の大型化をはじめ、運転台周辺や前面形状の変更、ヘッドマーク・行先表示幕のLED化など大胆に手が加えられ、さらにブルーバイオレットと白を基調とした専用カラーに塗り変えられたため、別形式のように生まれ変わった。また、青函トンネル乗り入れ用のATCも搭載する。

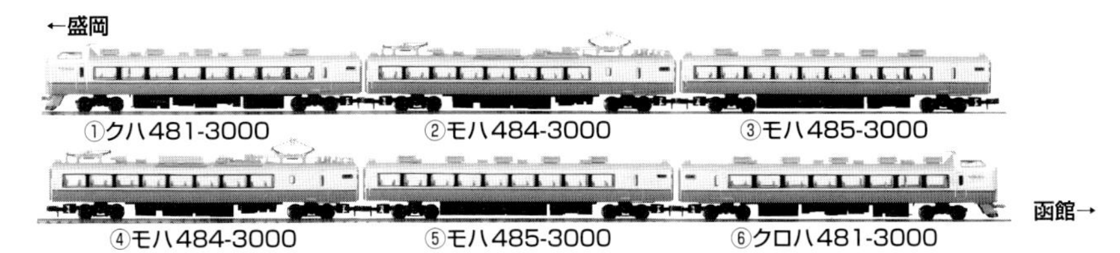

2000年3月～『スーパーはつかり』

485系の置き換えを目的に投入されたE751系。『フレッシュひたち』のE653系をベースに設計されたが、『スーパーはつかり』専用のため交流車両となった。485系3000番台とともに運用にあたったが、E751系の列車には『スーパーはつかり』の愛称が与えられ、速達型の列車として区別された。また、485系3000番台と同様、6号車は半室グリーン車に。東北新幹線八戸開業後は『はつかり』系統が廃止され、車両は『つがる』に引き継がれた。

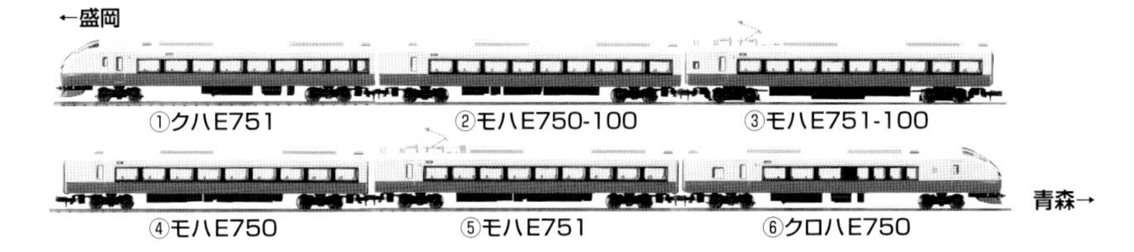

クハネ581とクハネ583 先頭車の違いを見る

581系の登場後に新造されたクハネ583は、将来の15連化に備えて電動発電機（MG）の大容量化をはかり、小型化して床下に装着。これによりクハネ581では機械室だった箇所が、客室化されて定員増加となった。また寒冷地対策として警笛にシャッターを設けたのも特徴だ。

運転室後ろに機器室のあるクハネ581（右）。クハネ583（左）ではMGなどが床下に取り付けられたため、客室空間が広がった。●ともにTOMIX

北海道から転属した 485系1500番台

485系1500番台は北海道向けに耐寒耐雪構造を強化し、特急『いしかり』で使用された。しかし冬期には雪害などでトラブルが多発し、後継として781系の開発が進められた。その後の1500番台は青森車両所へ転属となり、『はつかり』をはじめ『白鳥』『やまびこ』などの運用に就いた。

上部の2灯式ヘッドライトと、突出した尾灯が特徴のクハ481-1500。●マイクロエース

BEST FORMATION ❸

しなの

山岳路線を走る『しなの』にはキハ91系、キハ181系、381系、さらに現在活躍する『しなの』専用の383系など、山岳路線を速く走るための先進車両が続々と投入されてきた。中央西線の看板列車の変遷を、気動車急行時代からたどっていこう。

しなのプロファイル

『しなの』の歴史は、1953年に運行開始した準急列車にさかのぼる。それ以前から中央西線を経由して名古屋～長野間を結ぶ列車はあったが、この年にはじめて『しなの』の名称が付けられた。当時はD51牽引による客車列車で、同区間を5時間40分かけて走っていた。

1959年にキハ55系の投入によって急行列車へ格上げされる。その後、キハ58・57系で運用され、急行列車としての風格を備えていく。同時にハイパワー気動車の試作車、キハ91系が定期列車に加わり、長期間にわたる走行試験を実施。山岳路線の中央西線で得た試験結果は、次期特急型気動車キハ181系の開発へとつながった。

新形式のキハ181系の導入により、念願の特急化を果たした『しなの』。4時間を切る俊足ぶりで、1971年には3往復運転されるまでに成長。

こうした中、輸送量が多く勾配も厳しい中央西線は1973年5月に全線電化を達成する。『しなの』には国鉄初の振り子式電車381系を投入した。カーブの多い路線の切り札として導入された381系はその性能をいかんなく発揮し、名古屋～長野間を3時間20分で結ぶ韋駄天ぶりを見せつけた。

381系で培われた技術は、現在第一線で活躍する383系へと受け継がれ、所要2時間50分台と大幅なスピードアップを実現した。

1959年12月13日～ 急行『しなの』

客車準急だった『しなの』が気動車化されたのは1959年。同時に急行へ格上げとなり、客車時代にくらべ約1時間のスピードアップを実現した。投入されたキハ55系は、蒸気機関車で運転される優等列車の置き換えを目的に開発された車両で、全国にDC準急・急行を普及させた。キハ55系の2等車（グリーン車）には、半室構造のキロハ25と全室2等車のキロ25が用意されており、利用率の高い『しなの』には当初からキロ25が連結されていた。

←塩尻　※塩尻～長野間は逆向き

①キハ55　②キハ55　③キハ55　④キロ25

⑤キハ55　⑥キハ55　⑦キハ55　長野・名古屋→

編成のポイント　キサロ90

国鉄型気動車としては唯一の付随グリーン車であるキサロ90。これはキハ91に大出力エンジンを搭載することによって編成全体の出力に余裕が生じ、動力を必要としなかったため。静粛なグリーン車室内を提供した。床下の機器類が少ないのもわかる。

ラジエーターが特徴的なキハ91系の中で、エンジンを搭載しないため屋根上にクーラーしかないキサロ90。●マイクロエース

1961年10月1日～ 急行『しなの』

1961年から『しなの』にもキハ58系が投入され、同時に名古屋～長野間には急行『信州』『あずみ』が登場。中央西線にはキハ57『ちくま』を含め4往復の急行が活躍していた。『ちくま』以外の列車は共通運用が組まれ、キロ28を1両組み込んだシンプルな編成だったが、フレキシブルな編成を組める気動車の特徴を生かし、2·4両単位で増結されることもあった。また、1965年10月からはキロを2両連結し、1964年以降のキハ57系と同様の編成に組み替えられた。

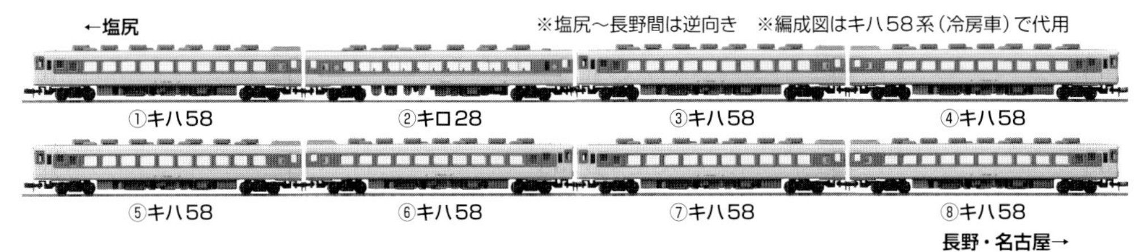

1963年10月1日～ 急行『しなの』

キハ57・キロ27は、キハ58・キロ28の信越本線用として登場した形式。これは碓氷峠(横川～軽井沢間)のアプト区間を通過する際に、既存のブレーキ装置ではラックレールに接触する恐れがあったため、ブレーキと台車を変更したもの。そのため別形式が付けられた。1963年の信越本線電化とアプト式廃止により、『しなの』に転用された。当初は信越線急行と同じ編成だったが、1964年10月より5号車にキロ27が組み込まれ、グリーン車が2両に増強された。キハ58と外見上の違いは台車とブレーキ以外、ほとんどない。

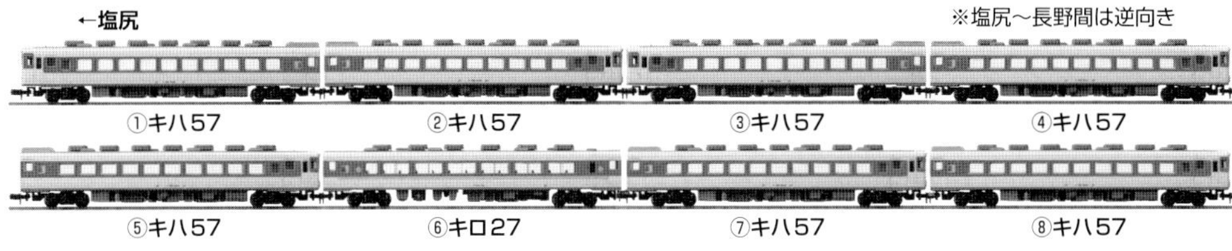

1967年10月1日～ 急行『しなの』

1967年10月ダイヤ改正で『しなの』は4往復体制になり、そのうち1往復は試作型気動車のキハ91系で運転されるようになった。これは定期列車による長期試験を兼ねており、1年にわたる試験の結果はおおむね良好とされ、特急型気動車キハ181系の製造につながった。編成はキハ58と同じ8連で、グリーン車も2両連結となった。

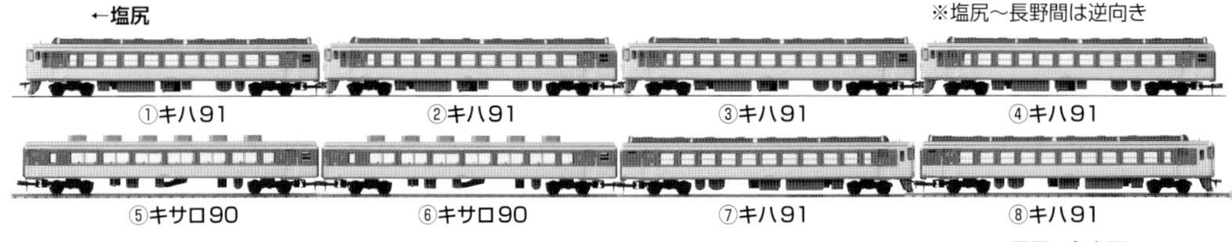

1968年10月1日～ 特急『しなの』

キハ91系の技術を反映し、大出力エンジンを搭載したキハ181系は"ヨンサントオ"（昭和43年10月国鉄ダイヤ白紙改正）とともにデビューした。全国の先陣を切って、新形式投入と特急格上げという2つの栄誉を同時に獲得した。キロとキサシを1両ずつ組み込んだ9両基本編成で、特急らしい堂々とした貫録を示す。500psの機関を食堂車以外の車両に搭載し、中央西線をはじめとする山岳路線でその威力をいかんなく発揮。『しなの』においては急行時代にくらべ約40分の短縮を実現した。

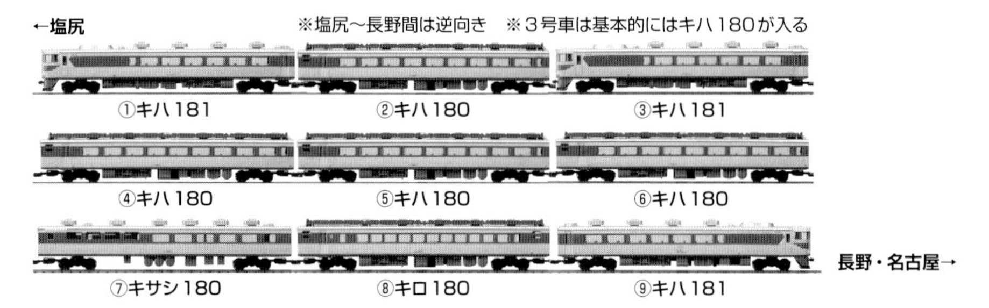

1971年4月～ 特急『しなの』

181系『しなの』の最盛期は堂々の10両編成で運転された。1973年の381系登場後も、2往復のみ181系の運用が残っており、電車とくらべ40分も時間を要したものの、振り子式の381系ほど揺れず、食堂車の付いた編成は利用客から好評だった。しかし、電車『しなの』とサービス水準を合わせるべく1973年10月以降、キサシを外した9連での運転となった。181系の運転は、完全電車化される1975年3月まで続いた。

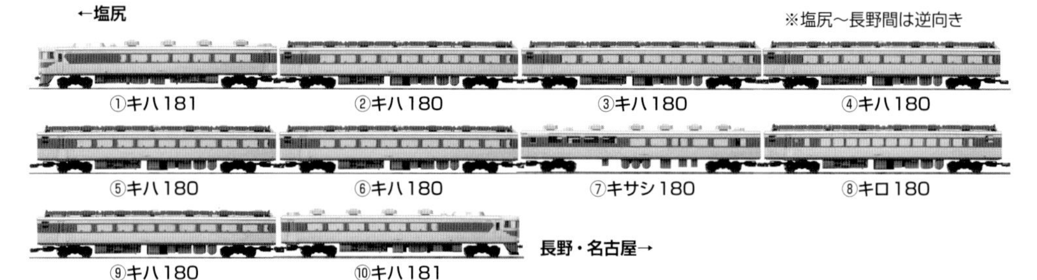

1973年7月10日～ 特急『しなの』

国鉄初となる振り子式特急電車、381系の導入で1973年に電車化された『しなの』。381系は2M1Tを1ユニットとし、3連単位で編成が組まれたため、国鉄時代は9連での運用が続いた。JR移行直前の1988年3月、サロ381を先頭車化改造したクロ381の登場によって、6両編成にもグリーン車の組み込みが可能となった。クロ381には貫通型の0番台とパノラマタイプの10番台をはじめ、クハ381をグリーン車化した50番台の3形式が存在。以後、381系『しなの』が運用を終了する2008年5月まで6連での運転が多かった。

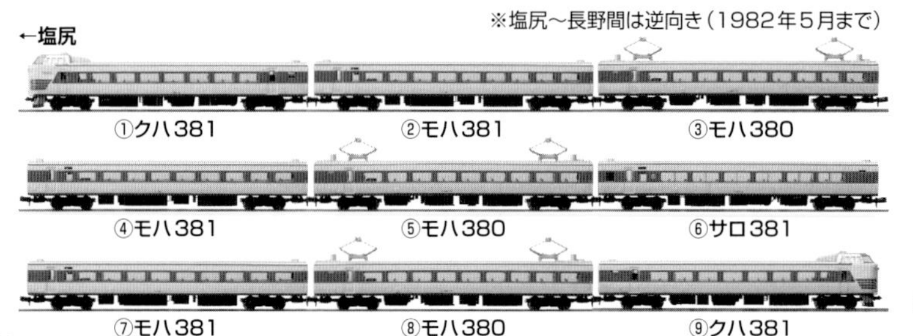

1996年12月1日～ 特急『(ワイドビュー)しなの』

381系の後継車として1996年に登場した383系は、特急では『しなの』だけで使われている車両。「制御付き自然振り子」を採用し、381系にくらべ曲線通過性能などが向上した。基本編成は6両で、すべて形式が異なるのが特徴。多客期には付属編成を増結し、最大10連で運転される。また、次に紹介する付属2連を基本編成に連結することもあり、6・8・10連と需要に応じてフレキシブルに編成を増結する。

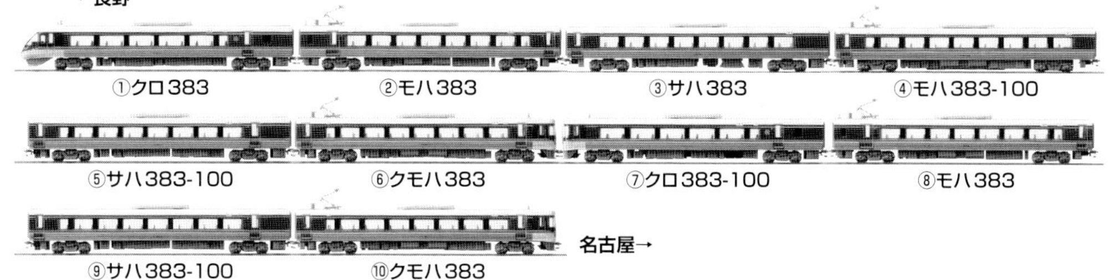

1996年12月1日～ 特急『(ワイドビュー)しなの』

付属の4連と2連を連結した編成。基本編成と走行距離の均一を図るため、このような編成で運転される列車もある。クロ383-100は貫通型車両で、パノラマタイプではない。また、クハ383は2連の付属編成にしかない形式だ。なお383系導入にともない、列車名称に(ワイドビュー)のネーミングが加わり、381系と区別された。

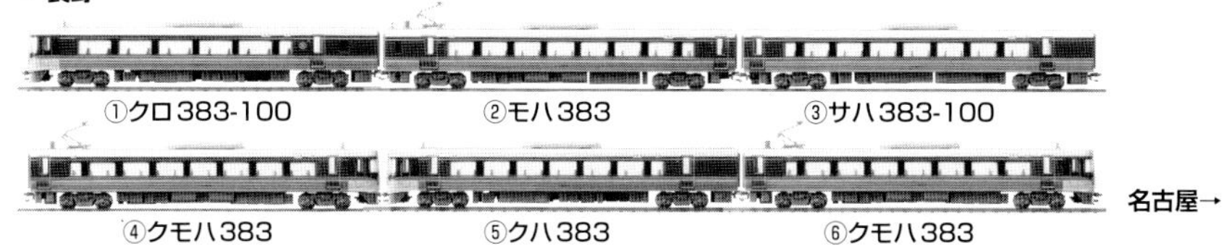

編成のポイント キサシ181

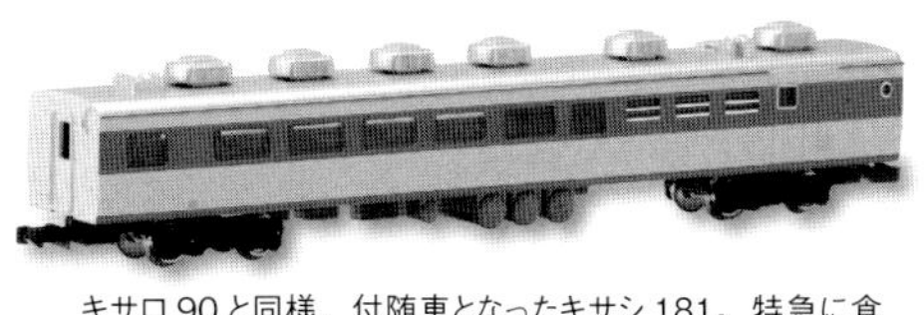

キサロ90と同様、付随車となったキサシ181。特急に食堂車が当たり前の時代だったが、早々に外されてしまった。● TOMIX

1953年の客車準急からはじまる『しなの』の長い歴史の中で、食堂車が連結されていたのはキハ181系時代のみ。しかも1973年の381系登場後は、サービス水準を揃えるという目的で、2往復残っていた181系編成から外されてしまい、わずか5年に過ぎない。

編成のポイント クロ383

基本編成の長野方先頭車に連結されるパノラマ型グリーン車。6連化された381系からの流れで、グリーン車は1号車に揃えられた。2席分の座席ピッチに合わされた大きな側窓が、編成の中でも目を引く存在だ。

383系の看板ともいえるパノラマグリーン車。4両の増結編成には貫通タイプもある。● KATO

BEST FORMATION ❹

211系

**首都圏や中京圏の近郊型電車として活躍した211系。
グリーン車を組み込んだ15連の長大編成から短編成でのローカル輸送まで、
バラエティに富んだ編成を再現できる。**

211系プロファイル

211系は、それまで近郊型電車の主力として活躍してきた113系、115系の置き換えを目的に1985年に登場。軽量構造のステンレスボディ、ボルスタレス台車、界磁添加励磁制御など、国鉄近郊型電車初となる多数の新技術を採用した。

1986年、まずは首都圏を皮切りに営業運転がスタート。東海道本線には0／2000番台、東北・高崎線には寒冷地仕様の1000／3000番台が投入された。基本編成の0／1000番台はセミクロスシート、2000／3000番台の付属編成はロングシートとして、混雑緩和にも寄与した。

JR化後は、各社の実情に見合った形式が製造された。JR東日本では1987年以降の増備をすべてロングシート車とし、さらに増加するグリーン車需要に応えて、座席数を増やした2階建てグリーン車を投入。JR東海では短編成での運用が可能な、5000／6000番台を登場させた。

総製造数は825両（クモロ211、モロ210を除く）と、113系の2943両、115系の1923両と大きな開きがあり、両形式の全面的な置き換えには至らなかった。しかし最後の国鉄型車両として質実剛健なデザインと技術は、後継車両にも大きな影響を与えた。

1986年3月～ 東海道本線 東京～浜松

東海道本線東京口に投入された211系は、10両基本編成の0番台と5両付属編成の2000番台からなり、最大15両編成で運転された。80系、113系と続く湘南電車の伝統どおり、編成にはグリーン車が2両組み込まれたが、当初はどちらも平屋の車両で、窓形状やドア数に違いはあるものの、取り立てて目立つ存在ではなかった。

←熱海・浜松

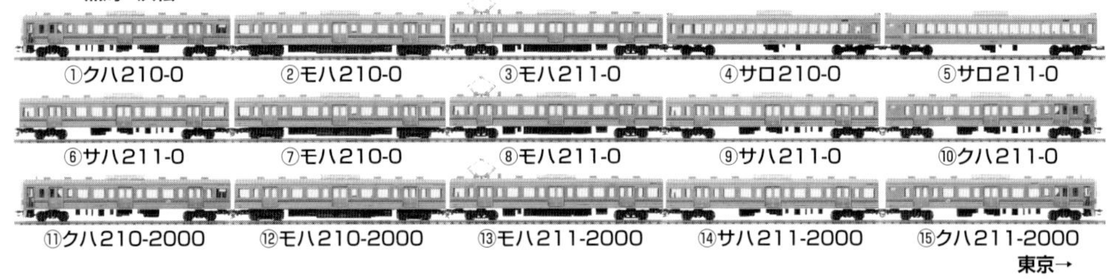

①クハ210-0　②モハ210-0　③モハ211-0　④サロ210-0　⑤サロ211-0
⑥サハ211-0　⑦モハ210-0　⑧モハ211-0　⑨サハ211-0　⑩クハ211-0
⑪クハ210-2000　⑫モハ210-2000　⑬モハ211-2000　⑭サハ211-2000　⑮クハ211-2000

東京→

編成のポイント モハ211

パンタグラフ付き中間電動車で、0／2000番台のみに存在する形式。クモハ211が組み込まれない東京口では、基本・増結両編成とも連結され、モハ210とユニットを組んで運用される。

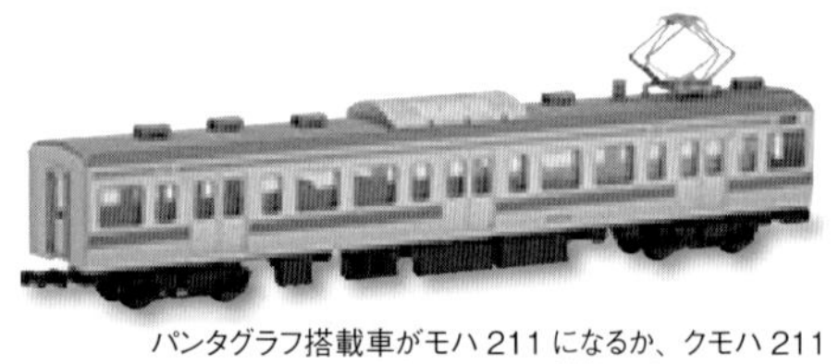

パンタグラフ搭載車がモハ211になるか、クモハ211になるかが、211系のひとつの特徴。● TOMIX

1986年3月～ 東海道本線 東京～浜松

東海道本線ではグリーン車の需要が多く、1989年より2階建てグリーン車を投入して着座率を高めた。新造車は既存の編成に組み込まれたが、車掌室、便洗面所の関係からサロ211とサロ212、サロ210とサロ213で組み合わされ、2両とも2階建ての編成も2本あった。この凸凹編成は、引退した113系用のサロ124・125と平屋車を組み換える2006年まで続いた。

←熱海・浜松

①クハ210-0 ②モハ210-0 ③モハ211-0 ④サロ212-0 ⑤サロ211-0

⑥サハ211-0 ⑦モハ210-0 ⑧モハ211-0 ⑨サハ211-0 ⑩クハ211-0

東京→

2004年10月～ 東海道本線 東京～熱海

東海道本線東京口では113系のE231系への置き換えにともない、余剰となった2階建てグリーン車のサロ124、サロ125を改造編入した。2階建てグリーン車を2両組み込んだ編成はこれまでにも2編成存在したが、これにより全編成が2階建て2両となった。なおJR化後に製造された車両はすべてロングシートの2000番台となり、輸送力の増強が図られた。

←熱海

①クハ210-2000 ②モハ210-2000 ③モハ211-2000 ④サロ212-100 ⑤サロ213-100

⑥サハ211-2000 ⑦モハ210-2000 ⑧モハ211-2000 ⑨サハ211-2000 ⑩クハ211-2000

⑪クハ210-2000 ⑫モハ210-2000 ⑬モハ211-2000 ⑭サハ211-2000 ⑮クハ211-2000

東京→

1986年2月～ 東北・高崎線 上野～高崎・黒磯

寒冷地バージョンの1000／3000番台が東北・高崎線に登場したのは1986年2月。東海道本線よりわずかに早かった。車両の基本スペックは0／1000番台と同じだが、全編成5両1組としたのが特徴。東北・高崎線では3組つないで、最大15両編成で運転された。なお、グリーン車は組み込まれなかった。

←上野

①クハ210-1000 ②サハ211-1000 ③サハ211-1000 ④モハ210-1000 ⑤クモハ211-1000

⑥クハ210-3000 ⑦サハ211-3000 ⑧サハ211-3000 ⑨モハ210-3000 ⑩クモハ211-3000

高崎・黒磯→

編成のポイント クモハ211

短編成での運転を可能にした制御電動車で、モハ210とユニットを組む。寒冷地用の1000／3000番台やJR東海発注の5000／6000番台をはじめ、0番台にも名古屋地区に投入された2編成の2両のみ存在する。

東京口では見られないクモハ211。晩年の短編成化を視野に入れて設定された。● TOMIX

1986年～ 東海道本線 豊橋～大垣

国鉄時代、名古屋地区へ投入された211系は0番台。4両編成2本が快速列車に充当された。東京口には存在しない0番台のクモハ211が新造され、この編成の特徴となっている。現在でこそ湘南色の帯だが、登場時は青と白色のラインが引かれ、211系では唯一異なる塗装として異彩を放っていた。

※編成図のクモハ211-0は、クモハ211-3000で代用。

←大垣

①クハ210-0 ②サハ211-0 ③モハ210-0 ④クモハ211-0

豊橋→

1991年～ 東海道本線・御殿場線 国府津～沼津ほか

211系6000番台もJR東海による新区分番台で、クモハ211-6000が製造された。これは211系初となる1M制御方式で、最短2両での運転が可能となった。静岡地区の東海道本線や御殿場線において、211系5000番台の3連や313系と併結して運転されている。

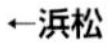

←浜松

①クハ210-5000 ②クモハ211-6000

国府津→

※編成図のクハ210-5000、クモハ211-6000は、それぞれクハ210-3000、クモハ211-3000で代用。

1999年～ 東海道本線 熱海～豊橋

JR東海では自社の線区に投入する211系5000番台を新造。2000番台をベースとしたロングシート仕様であるが、インバータークーラーの採用やトイレを省略するなど若干の変更点がある。基本編成は2M2Tの4両、または2M1Tの3両で電動車くら率が高い。朝夕のラッシュ時間帯を中心に、313系などと併結運転をおこなう列車もある。

←豊橋

※編成図の211系5000番台は、3000番台で代用。

①クハ312-3000 ②クモハ313-3000 ③クハ210-5000

④モハ210-5000 ⑤クモハ211-5000

熱海→

編成のポイント

サロ212・サロ213

211系のデビュー当時、グリーン車は平屋のみだったが、JR化後に定員増加を目的として2階建て車を製造・投入した。

車内構造の違いで2形式が存在し、サロ212は業務室と車掌室、サロ213にはトイレと洗面所が配置されている。

写真は113系から改造された100番台。手前は車掌室を潰して便洗面所をつくったサロ213-100番台、奥のサロ212-100番台は横須賀線用サロ124からの改造車で帯が異なる。
●ともにKATO

2005年12月～ 東北・高崎線 上野～高崎・黒磯

東北・高崎線に組み込まれたグリーン車は、東海道本線の211系から捻出された平屋＋2階建てのサロ（サロ211＋サロ212、またはサロ210＋サロ213）もしくは2階建て2両である。グリーン車は、湘南新宿ラインのE231系と合わせて4・5号車に組み込まれた。5両編成と3両編成の間にサロ2両を挟むという、大幅な編成組み換え作業がおこなわれた。

2006年10月～ 総武本線・内房線・外房線
千葉～安房鴨川・銚子・館山

113系を置き換えるべく房総地区へ転出した211系3000番台。これはE231系の増備によって玉突き的に捻出された東北・高崎線の車両である。5両編成で運転され、東北・高崎線時代と大きな変更点はないが、「湘南色」から改められた黄色と青の「房総色」のラインが目を引く。

※編成図の211系5000番台は、3000番台で代用。

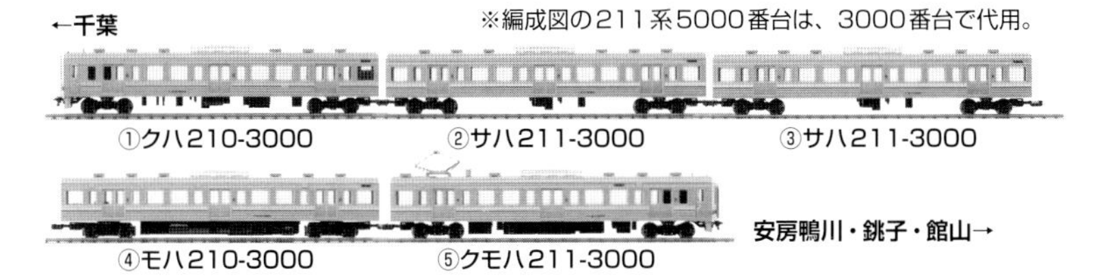

クーラーの形状が異なる 5000／6000番台

JR東海が独自に発注した5000／6000番台は、それまでの番台とは若干、仕様に変化が生じた。

そのひとつがインバータークーラーの搭載で、屋根上の形状が異なっている。

通常の集中式（奥）から四角い集約分散式が2基搭載された、JR東海の5000／6000番台（奥）。●グリーンマックス

前面窓が大きくなった 5000／6000番台

5000／6000番台の外見上の変化として、前面窓の大きさが挙げられる。前面貫通扉と助士席側の窓を下方へ拡大し、213系と同様のデザインとなった。模型においてもその違いが見られる。

5000／6000番台を模型化しているのはグリーンマックスのみだ。213系のような窓で印象が大きく変わった。右から5000／6000番台●グリーンマックス、2000番台● KATO

BEST FORMATION ❺

あずさ

**『あずさ』の車両バリエーションは実に多彩。
国鉄時代の181系をはじめ、車体を塗り替えたグレードアップ車両、
そして専用のE351系やE257系など、バラエティに富んだ編成を再現してみよう。**

あずさプロファイル

1966年12月、中央東線初の特急列車として誕生した『あずさ』。181系による食堂車とグリーン車2両をつないだ堂々たる編成で、中央東線の看板列車として名を馳せた。

1972年には列車増発により183系0番台が戦列に加わる。翌73年には、長野運転所へ移管を受けて、横軽協調運転用の189系も投入。181系退役後はこの2車種での運行が長らく続いた。この間183系0番台は、上越新幹線開業後に新潟から転入した183系1000番台に置き換えられた。

JR化後の『あずさ』には、さまざまなテコ入れがおこなわれる。まず、高速バス対策として既存車両の改造に着手。座席面のかさ上げや新シートへの交換をはじめ、車体も大胆な塗装に改められ、グレードアップ車両として集客アップに貢献した。

また、1993年に運転開始したE351系は振り子式電車の性能を存分に発揮し、曲線が多く制限速度が抑えられていた中央東線において大幅なスピードアップに寄与した。

2001年、E257系の導入により183・189系は2002年12月までにその任を解かれ、E351系『スーパーあずさ』とE257系『あずさ』が伝統を引き継ぎ、現在ではE353系が活躍している。

1966年12月12日～『あずさ』

181系100番台が田町電車区に新製配備され、グリーン車2両、食堂車1両を組み込んだ10両固定編成で運用に就いた。181系は1975年12月のダイヤ改正時まで活躍するが、その間、食堂車の廃止もあったが10両編成の姿は変わらなかった。

←新宿

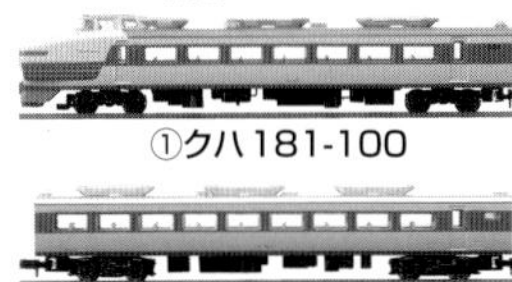

①クハ181-100　②モハ181-100　③モハ180-100　④モハ181-100

⑤モハ180-100　⑥サシ181-100　⑦サハ181-100　⑧モロ180-100

⑨モロ181-100　⑩クハ181-100

松本→

編成のポイント　サシ181

151系から改造された車両で、電子レンジなど近代的な設備を備えていた。

しかし『あずさ』では、後に『あさま』と共通運用とされたため活躍した期間は7年足らずと短かった。

181系『あさま』は8両以下に抑えるため食堂車が省かれ、『あずさ』がその余波を受けた格好だ。● KATO

1972年10月2日～『あずさ』

1972年10月のダイヤ改正では4往復から6往復体制となり、車両も房総特急用の183系9両編成が充当された。混雑緩和の観点から乗降扉片側1か所という特急車両の常識を覆し、2か所に乗降扉を設けたのが特徴。また、当初から食堂車は用意されなかった。183系0番台の『あずさ』は、定期運用は1985年3月までで、それ以後は臨時のみとなった。

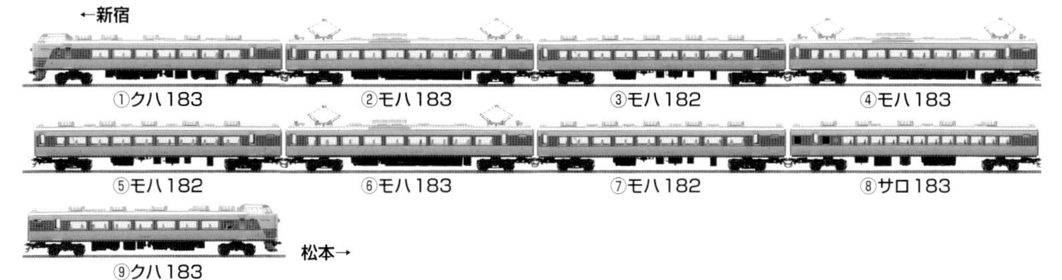

1973年10月1日～『あずさ』

当初、181系『あずさ』は上越線特急の『とき』と共通運用だったが、東北新幹線建設工事の関係で上野～田町～新宿間の回送運転ができなくなり、運用は長野運転所へ移管。予備編成が『あさま』と共通運用となり、食堂車が外れた。なお、グリーン車が『モロ+サハ』と『サロ+モハ』2通り存在したのも興味深い。写真は『サロ+モハ』パターン。

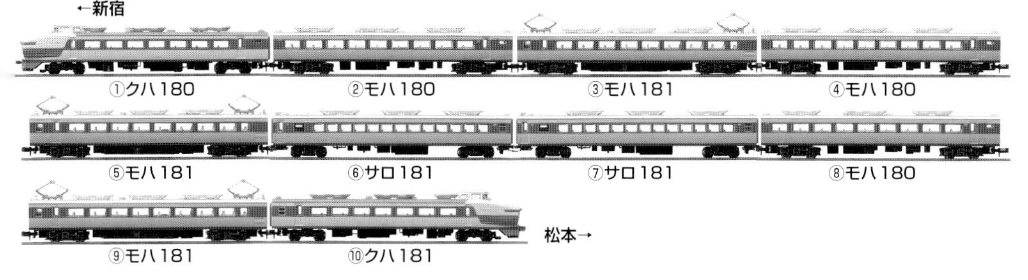

1975年12月9日～『あずさ』

189系は横軽協調運転用の車両だが、『あさま』と共通運用されたため『あずさ』でも主力車両として活躍した。導入当初は10連での運用だったが、慢性的な輸送力不足を解消すべく1978年10月ダイヤ改正では、モハユニット（モハ188･189）を1組松本方に増結し、12連化された。

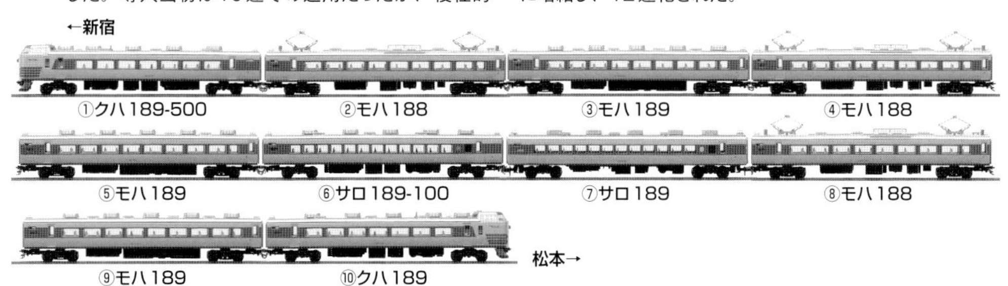

1982年11月15日~『あずさ』

上越新幹線開業によって余剰となった、在来線『とき』で使われていた183系1000番台を投入。1000番台は181系『とき』の置き換えを目的につくられた車両で、冬期の上越線を考慮して耐寒耐雪対策が施されている。183系0番台との外見上の相違は、正面貫通扉の有無や、クハ183における窓まわりの赤帯の長さなどが挙げられる。

←新宿

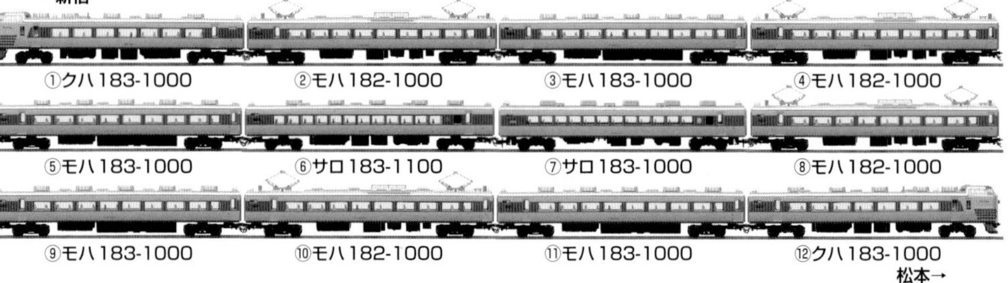

①クハ183-1000 ②モハ182-1000 ③モハ183-1000 ④モハ182-1000
⑤モハ183-1000 ⑥サロ183-1100 ⑦サロ183-1000 ⑧モハ182-1000
⑨モハ183-1000 ⑩モハ182-1000 ⑪モハ183-1000 ⑫クハ183-1000

松本→

1987年12月26日~『あずさ』

JR化後の『あずさ』では、中央道の高速バスに対抗すべくグレードアップ車両を投入。1~5号車の指定席と6号車のグリーン車は、床面を170mm高くしたセミハイデッカー構造とし、窓上部を100mm拡大したため、他の車両とくらべ、リニューアルされたことが一目瞭然だ。クリーム地に緑とピンクのストライプというカラーリングも、当時は斬新だった。

←新宿

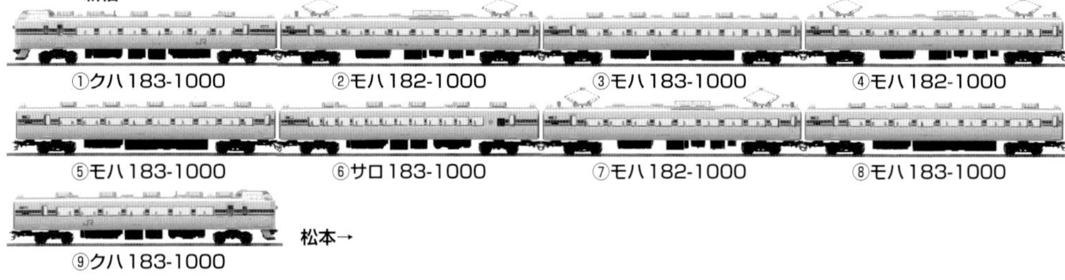

①クハ183-1000 ②モハ182-1000 ③モハ183-1000 ④モハ182-1000
⑤モハ183-1000 ⑥サロ183-1000 ⑦モハ182-1000 ⑧モハ183-1000
⑨クハ183-1000

松本→

1993年12月23日~『スーパーあずさ』

振り子式の新車両E351系は、最高速度130km/hでの走行を可能として、所要時間短縮に大きく貢献。『スーパーあずさ』の名称が付けられた。基本8連と付属4連からなる編成は、当初、大糸線へ乗り入れる付属編成を編成前部に連結していたが、1995年6月より基本8連が乗り入れることとなり、前後が組み替えられた。写真は、組み替え後の編成をあらわす。

←新宿

①クハE351-100 ②モハE351 ③モハE350 ④サハE351
⑤サロE351 ⑥モハE351-100 ⑦モハE350-100 ⑧クハE351-200
⑨クハE351-300 ⑩モハE351 ⑪モハE350 ⑫クハE351

松本→

1997年12月～『あずさ』

長野新幹線開業による189系『あさま』の転出で、『あずさ』カラーに塗り替えられた編成。『あずさ』に充当された189系は、ほとんどがグレードアップ車両だった。なおこの塗装は、長野オリンピックに向けてのイメージアップをはかったもので、1992年7月より183系ともども順次塗り替えられていった。

←新宿

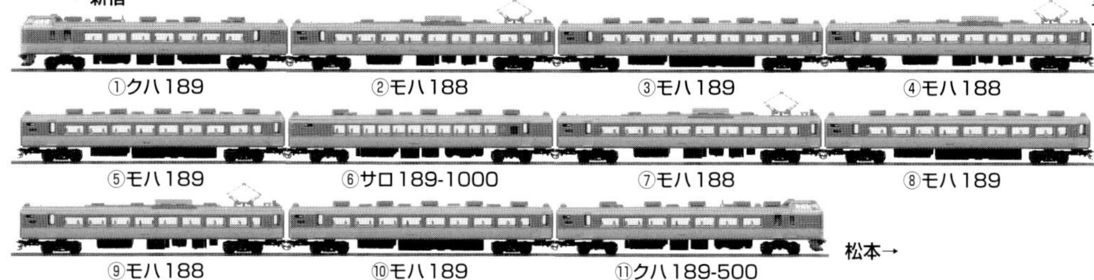

2001年12月1日～『あずさ』

183·189系の置き換え用に製造されたE257系。『あずさ』には0番台が投入。基本9連、付属2連の11両編成中、11形式が存在する多彩な顔ぶれ。2号車のクモハE257は、回送用に使用される簡易運転台を持つ。白を基調とした車体には桃色、黄色、碧色、青紫、銀色の武田菱をあしらったデザインが施され、車両ごとに異なる配色パターンで注目を集めた。

←新宿

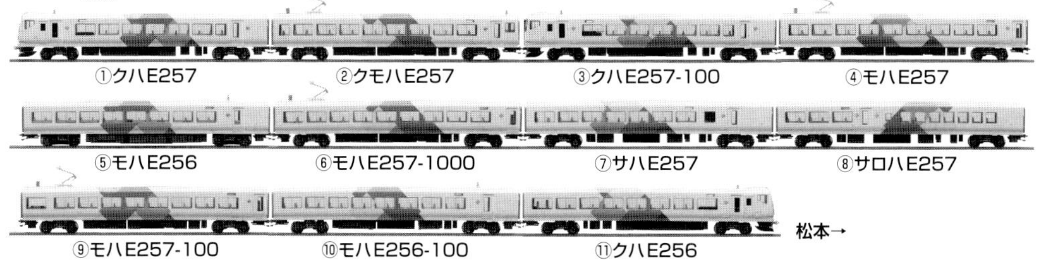

編成のポイント

サロハE257

8号車に連結される半室グリーン車。車体中央部に乗降扉と車掌室、車販準備室を設け、グリーン室と普通室を分割する。

グリーン室の小窓は、大窓の並ぶ編成のなかにあって目を引く存在だ。

中央のドアを境に、横長の普通車と小窓のグリーン車に分かれる。●KATO

2017年12月23日～E353系『あずさ』『スーパーあずさ』

E257系やE351系の後継車両として活躍するE353系は、9両編成（基本編成）と3両編成（付属編成）で構成される。

←千葉・東京・新宿　①クモハE353-0＋②モハE353-1000＋③クモハE352-0＋④クハE353-0＋⑤モハE353-500＋⑥モハE352-500＋⑦モハE353-2000＋⑧サハE353-0＋⑨サロE353-0＋⑩モハE353-0＋⑪モハE352-0＋⑫クハE352-0　甲府・松本・南小谷→の編成で運行される。

先頭部は高運転台構造が採用され、スピード感あふれる形状が特徴的。●KATO

BEST FORMATION ❻

113系

近郊型直流電車の代名詞的な存在である113系。首都圏ではグリーン車2両組み込んだ15連、一方、4連でのローカル輸送にも対応するなど、多彩な編成バリエーションで活躍した。ここでは代表的な湘南色とスカ色の編成遍歴を紹介する。

113系プロファイル

1962年、逼迫する東海道本線東京口の輸送力増強のため、80系電車を置き換える目的で111系が製造された。セミクロスシート、3扉車の新性能電車はラッシュ輸送で威力を発揮する。その111系の出力強化型として翌63年に登場したのが、113系だ。

基本の0番台をはじめ、地下線区乗り入れ対応の1000番台、シートピッチを広げた2000番台、寒冷地バージョンの700番台など勢力を広げた。

1980年代には2900両以上の大所帯となり、東海道・山陽本線とその周辺の路線で近郊輸送の中心を担った。

都市圏輸送の近代化とサービスアップを図ってきた113系であるが、登場から30年以上を経た2000年代に入ると老朽化が目立ち、東京圏ではE217系やE231系にバトンタッチした。

しかしJR西日本では体質改善工事が施された車両が現役で活躍するなど、東西で運命を分かち合うことになった。

1963年~ 東海道本線 東京~静岡

1962年から大船電車区や静岡運転所へ配置がはじまった111系。翌年には出力を増強した113系にシフトした。80系以来の伝統に則り、グリーン車を2両連結するのが東海道本線東京口の特徴だ。11両基本編成の上り方に4両の付属編成を連結。15連の勇姿は、東京口から引退する2007年まで見られた。

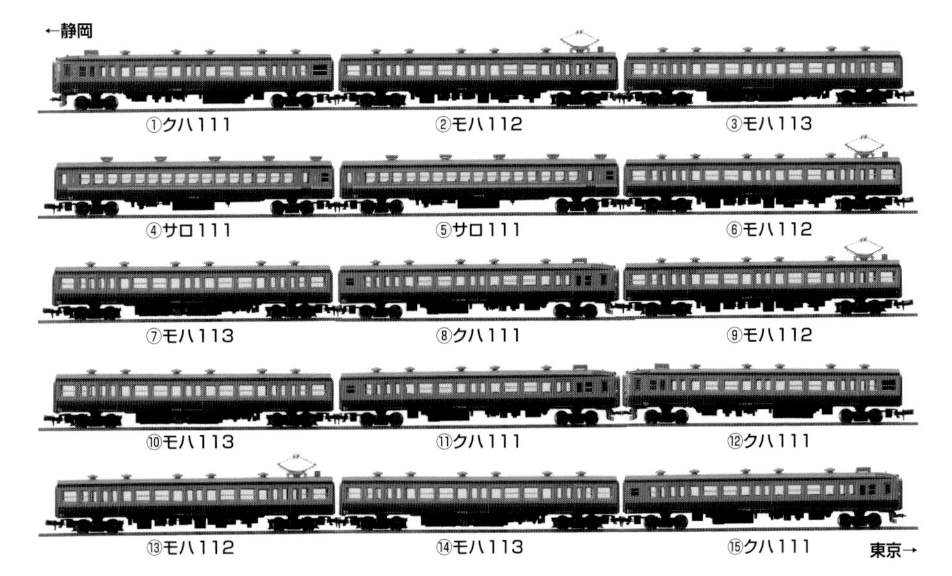

1963年〜 東海道本線 東京〜静岡

東海道本線東京口の"湘南電車"の大部分は熱海までしか運転されていなかったが、熱海以西の沼津や静岡へ直通する列車も多く設定されていた。そのなかには郵便・荷物輸送を担う列車もあり、下り方にクモユニ74を連結した12両編成も見られた。

1966年〜 東海道・山陽本線 米原〜上郡

関西地区での113系の運転は1964年からはじまり、1966年にはサロ110を1両組み込んだ8両編成が登場。付属4両編成を連結し、最長12連で運転された。なお、グリーン車は乗車率の低下により1980年に廃止。一時、7両基本編成となったが、1981年には輸送力増強を図るべくサハ111を挿入した8両編成に戻された。

1976年〜 東海道本線 大垣〜熱海

1970年代中頃から80系を置き換えるために、大都市圏以外の東海道本線区間へも113系が投入されるようになった。静岡運転所、大垣電車区への配置車両は6連で運用され、東海地区の都市間輸送を担った。

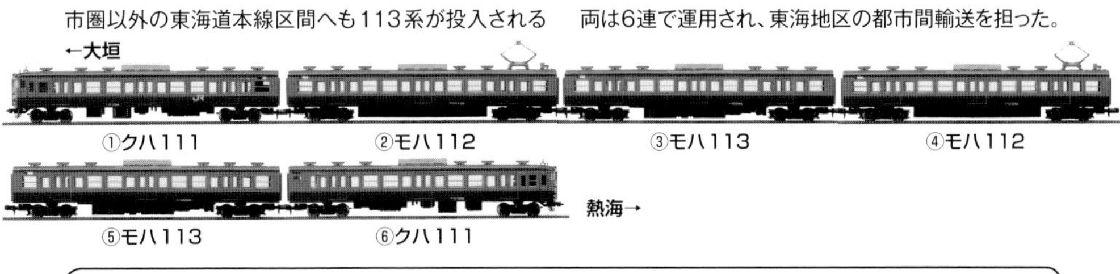

編成のポイント クモユニ74

80系が111／113系に置き換えられたのにともない、モハ72を改造してつくられた郵便・荷物車。

単独でも運行していたが、旅客列車に併結して運転されることも多く、東海道本線東京口では下り方に連結されていた。

旧型電車だが、新性能電車と併結運転できるようにつくられたクモユニ74。写真のモデルは東北・高崎線用の200番台のため、スノープラウが付く。●マイクロエース

1988年～ 東海道本線 東京～熱海・静岡

4号車に2階建てグリーン車のサロ124が組み込まれた編成。トイレ・洗面所付きのサロ125も製造されたが、当初は2階建て車同士がつながることはなく（4号車がサロ125の編成もあった）、平屋のサロとのペアが組まれた。編成中、1両だけのステンレス車はひときわ異彩を放っていた。

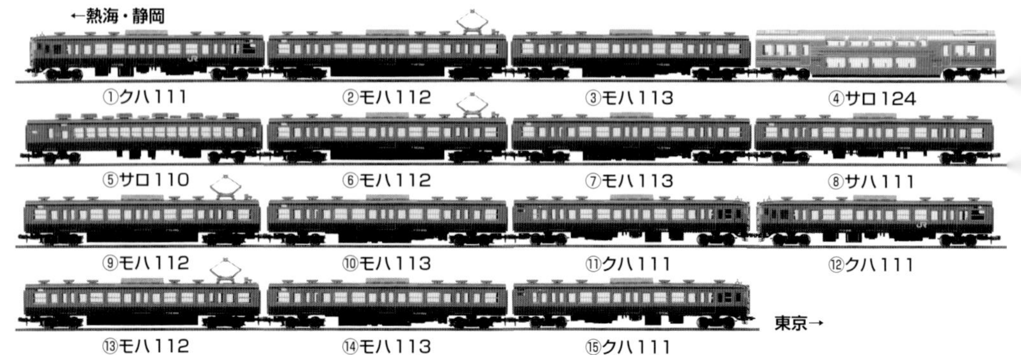

1965年～ 横須賀線 東京～逗子・久里浜

1964年、横須賀線に投入された113系は湘南色のままだったが、翌年にスカ色へ変更。当時は7両基本編成+付属5両編成の12連で運転されていた。東海道本線よりも3両短いのは、横須賀線内のホーム長が足りなかったためで、延長工事が完了した後は15連（基本10連、付属5連）となる。基本、付属編成それぞれにサロが連結されていたが、東海道本線と連結位置を合わせるため1968年には基本11連、付属4連に統一された。

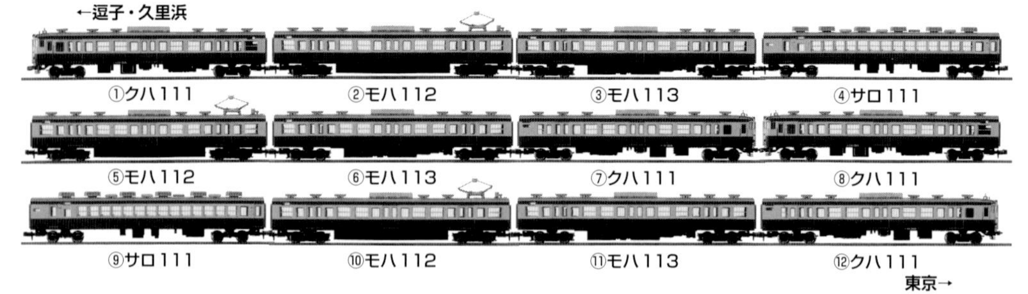

編成のポイント サロ124/125

東海道本線東京口や横須賀・総武快速線の輸送力増強のため新造された2階建てグリーン車。

定員は平屋のサロとくらべて1.5倍程度増えた90名となり、サービスアップに貢献した。サロ124は車掌室、サロ125にはトイレ・洗面所が設けられている。

211系のサロ214／215と合わせてつくられたサロ124／125。スカ色は帯の位置が湘南色と異なる。手前からサロ124、サロ125 ●ともにTOMIX

1972年～ 内房線・成田線 東京～君津、成田など

房総方面に113系が投入されたのは1969年。当初は6連で、津田沼～館山間での運用だった。1972年のダイヤ改正で東京駅地下ホームが開業、房総半島から都心への直通運転を機に11連で運転されるようになった。

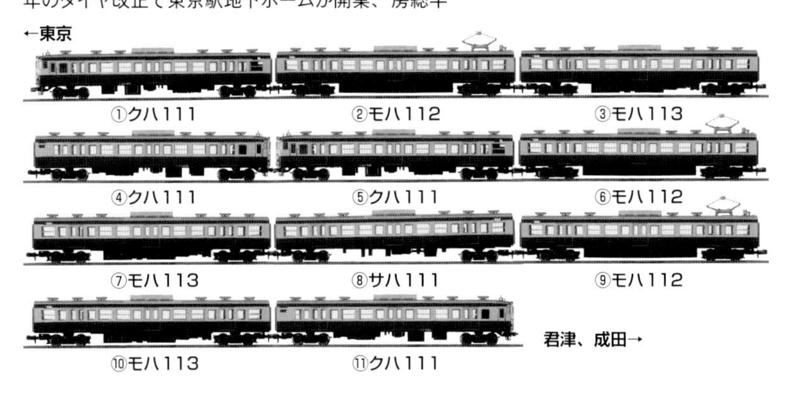

1990年～ 横須賀・総武快速線 逗子・久里浜～千葉

横須賀・総武線にも東海道本線のサロ124と同様の2階建てグリーン車が組み込まれた。付属編成が久里浜方に連結されているのは増解結をおこなう逗子駅の留置線の配置によるためで、逗子以南は11連で運転された。

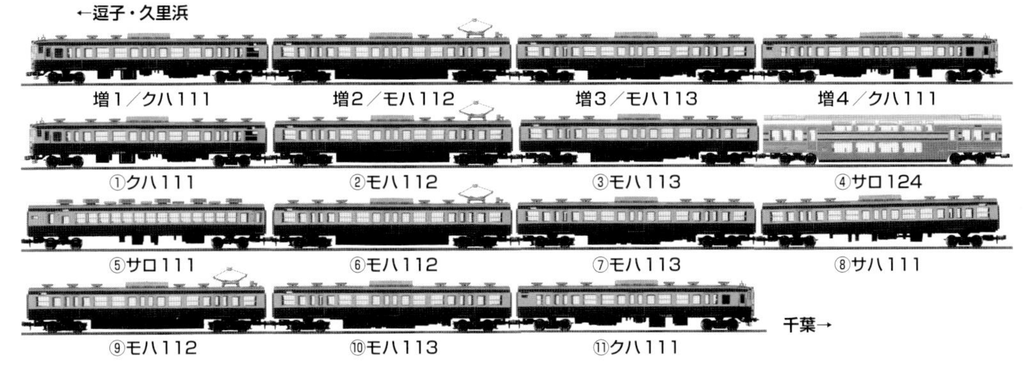

編成のポイント サロ110-300番台

113系のグリーン車は、他形式を改造して編入された車両も多い。その中でも異色なのはサロ110-300番台だろう。

181系や489系など特急電車のグリーン車から転用され、定員やドアの位置などバラつきが生じた。見た目にも異端で、普通車よりも屋根が低いため編成のなかで目立つ存在であった。

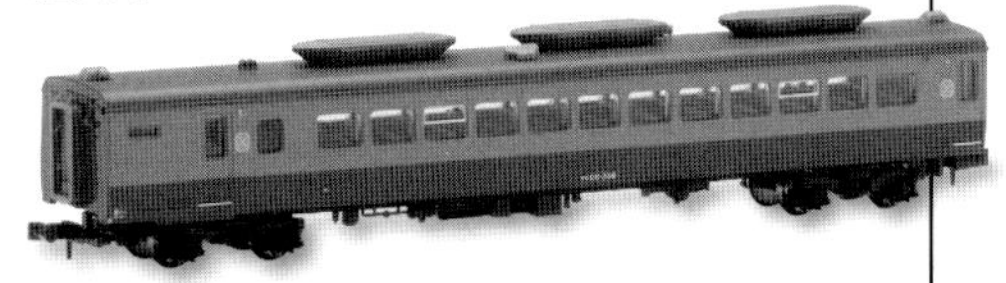

列ごとの小窓、キノコ型クーラーなど、元のサロ489の特徴を色濃く残す。晩年はサロ124／125とも連結されていた。●マイクロエース

BEST FORMATION ❼

くろしお

紀伊半島と大阪方面を結ぶ特急『くろしお』。沿線の名観光地、白浜の人気に合わせて、グリーン車を多く連ねたり、パノラマカーを連結したりと、個性的な編成を見せてきた。『くろしお』『スーパーくろしお』『オーシャンアロー』の3本立てとなった列車の変遷を、編成からたどっていこう。

くろしおプロファイル

列車名としての『くろしお』の歴史は古く、そのルーツは私鉄列車が乗り入れていた戦前にまで遡る。

戦後、天王寺から白浜、新宮を目指す準急や急行列車が数多く存在し、『くろしお』も準急客車列車の一部に過ぎなかったが、1965年のダイヤ改正で特急に格上げ。名古屋~新宮~天王寺間で運転を開始した。

当初、キハ80系気動車が投入され、キロ3両とキシを組み込む豪華編成で、新婚旅行で人気の白浜へ向かう客で賑わった。その後、急行や準急列車を吸収し、徐々に勢力を拡大。1972年にはボンネット型のキハ81も編成に加わり、6往復の運転になった。

1978年、紀勢本線和歌山~新宮間の電化によって381系が投入された。急カーブの連続する路線にあって、振り子式電車はその特性を遺憾なく発揮し、大幅なスピードアップを実現した。

JR化後には、パノラマグリーン車を備えた『スーパーくろしお』も登場し、運転区間や車両面でのテコ入れがはかられた。

また、独特な先頭形状をした283系『オーシャンアロー』が、『スーパーくろしお』の後継として登場し、紀勢線特急のイメージを一新させた。

今では列車名はすべて『くろしお』に統一され、運行している。

1965年3月1日~『くろしお』 名古屋~天王寺

紀勢本線初の特急としてデビューした『くろしお』は、和歌山機関区に配属されたキハ80系が使用された。キハ82の基本編成(6両)にグリーン車を1両足した7連は、キロが2両連なる豪華な編成が特徴。食堂車は当時の特急には必須だった。紀勢本線が電化する前は、名古屋まで足を延ばしていた。

←天王寺

①キハ82 ②キロ80 ③キロ80 ④キシ80 ⑤キハ80 ⑥キハ80 ⑦キハ82

名古屋→

編成のポイント キロ80

キハ80系当時の『くろしお』は、グリーン車比率が高いのが特徴だった。デビュー時には2両、10両編成化されてからは3両ものキロが連結されていた。これは沿線屈指のリゾート地である白浜への旅行客に配慮したもので、キハ80系屈指の豪華編成を持つ観光特急だった。● KATO

1965年10月1日～『くろしお』 名古屋～天王寺

当時は1往復のみの運転だったため、輸送力はすぐに逼迫することに。そこで新宮～天王寺間では付属編成3両を連結し、キロを3両組み込んだ堂々10両編成となった。1967年のダイヤ改正では3往復に増発する一方で、7連やキロを1両減らした6連に短縮されたが、1970年3月改正で再び10連に戻った。

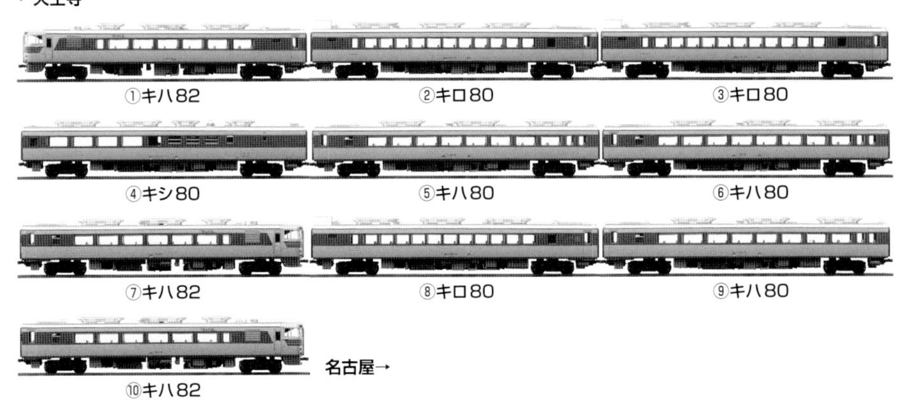

1972年10月7日～『くろしお』 名古屋～天王寺

1972年10月ダイヤ改正では、日本海縦貫線の電化にともなう80系気動車の大規模な転配が実施され、秋田地区で運用されていたキハ81が転入。ボンネット型先頭車を持つ編成が登場し、おもに名古屋発着の1往復に投入された。10両編成が組まれ、先頭車以外は同じ編成内容だった。

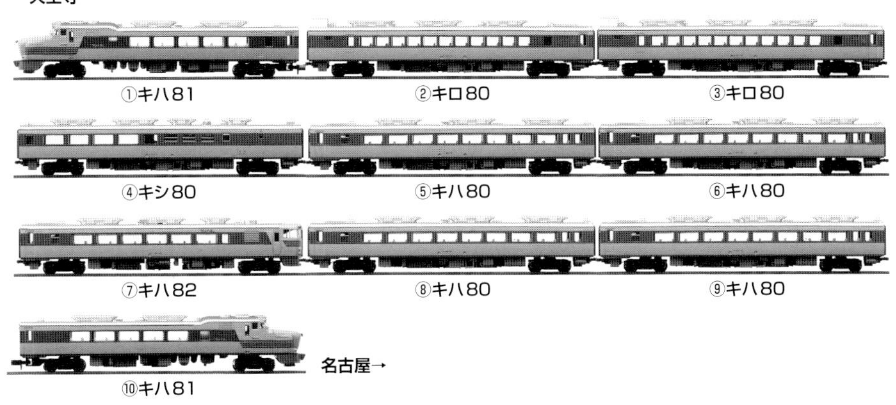

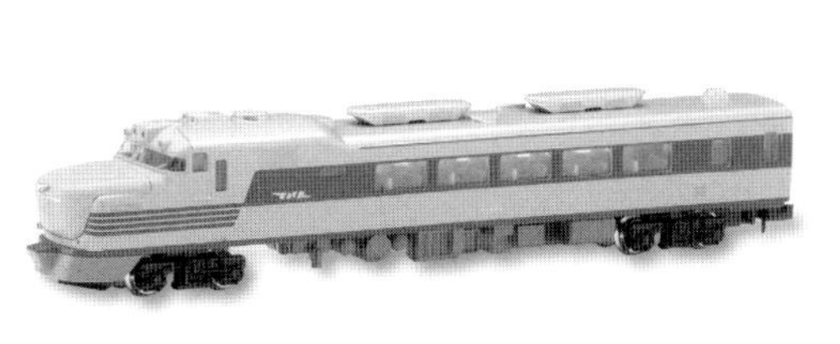

編成のポイント キハ81

1960年、気動車特急『はつかり』とともに登場したキハ81は、個性的なボンネット型の先頭車だ。その後、『つばさ』『いなほ』の運用を経て、『くろしお』が最後の活躍の場となり、キハ82に混じって活躍した。現在、キハ81-3が大阪の交通科学館に保存されている。●KATO

1978年1月～『くろしお』 名古屋～天王寺

運転本数が増えてくると編成も若干短くなり、キロを1両外した7両編成で運転されるようになった。ただ多客期には9・10号車を連結し、需要に見合った柔軟な編成が組まれる。天王寺方はキハ82、名古屋方はキハ81と両先頭車が異なる、独特な様相も見られた。

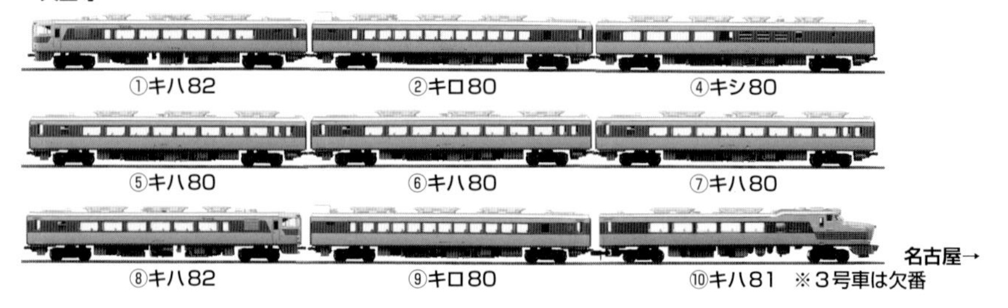

※3号車は欠番

1978年10月2日～『くろしお』 天王寺～新宮

1978年10月に、紀勢本線の和歌山～新宮間が電化され、振り子式特急電車の381系が投入された。先頭車のクハ381は中央西線の『しなの』と異なり、非貫通型の100番台が使用された。電化を機に新宮以東は系統が分離され、名古屋発着には新たに特急『南紀』が設定された。

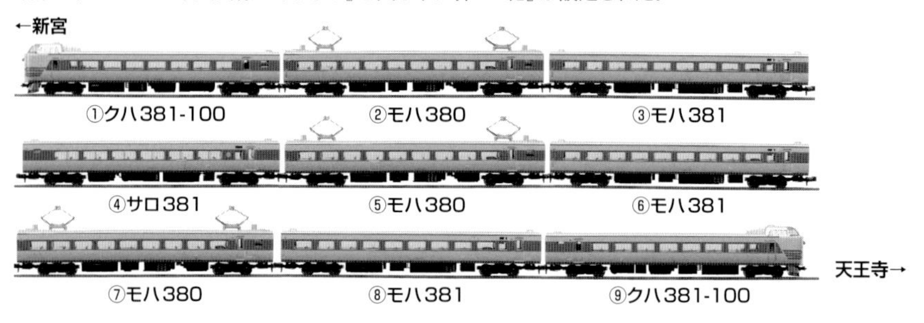

1986年11月1日～『くろしお』 天王寺～新宮

381系化後、しばらくは9両編成での運転が続いたが、輸送の実態に合わせてモハの1ユニットを外した7両編成や、さらにサロを外した6両編成で運転されることも多くなってきた。ただ、季節による旅客変動も大きいため、多客期には9両編成で運転された。

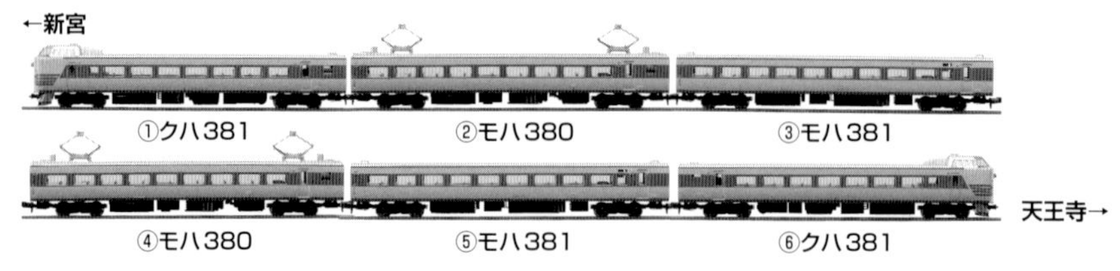

編成のポイント　クロ380

『スーパーくろしお』の目玉として、サロ380を種車に先頭車改造したパノラマグリーン車。先頭がグリーン車となる連結位置は、283系やクハ381のクロ化改造など、その後の『くろしお』系列の編成に大きな影響を与えた。● TOMIX

1996年7月31日～『オーシャンアロー』 京都・新大阪～新宮

前面展望グリーン車を備えた283系は、1996年に『スーパーくろしお・オーシャンアロー』としてデビューし、翌年には『オーシャンアロー』に改称された。基本6両編成に多客期は付属の3両編成が連結される。編成図のように9号車にクロ283が入ることもあり、編成前後が前面展望タイプとなる。

←新宮

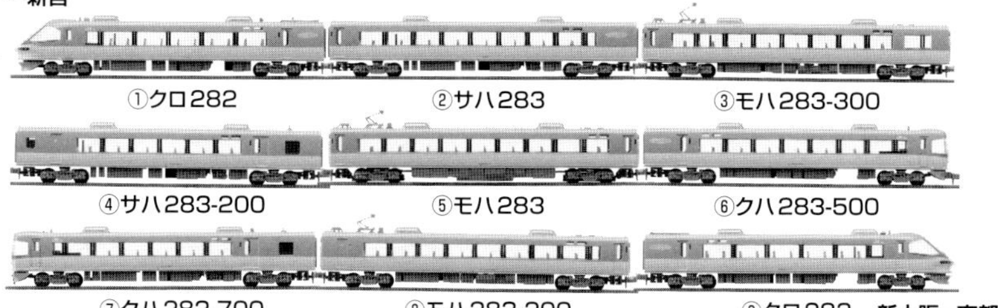

新大阪・京都→

1998年11月～『スーパーくろしお』 京都・新大阪・天王寺～新宮

1989年に営業運転を開始した『スーパーくろしお』は、当初は黄色帯の塗装だったが、98年には283系に準じたカラーリングに変更された。当初6両編成で運転されていたが、最大9両編成での運転も可能。クハ381とモハ380には、自動解結装置と電気連結器を装備した500番台が改造された。

←新宮

①クロ380　②モハ380　③モハ381

④モハ380　⑤モハ381　⑥クハ381-500

⑦モハ380-500　⑧モハ381　⑨クハ381-100

天王寺・新大阪・京都→

2012年3月17日～ 287系『くろしお』

先頭形状は『こうのとり』などと同様に、『サンダーバード』などJR西日本の特急のデザインが踏襲されつつも新たなデザインとなり、オーシャングリーン色のラインが採用された。

クモロハ286-0＋モハ286-0＋モハ287-200＋モハ286-200＋モハ286-0＋クモハ287-0の基本編成とクモハ286-0＋モハ286-100＋クモハ287-0の付属編成があり、9両編成で運行される場合もある。

2017年8月5日に登場したアドベンチャーワールドの風景がラッピングされた「パンダくろしお『Smile アドベンチャートレイン』」。● TOMIX

2015年10月31日～ 289系『くろしお』

683系2000番台を直流専用に改造し、形式名を289系に変更。また、転属に伴い基本編成の組成が5両から6両に組み替えられた。

クモハ289-3500＋サハ289-2500＋サハ288-2200＋モハ289-3400＋サハ289-2500＋クロ288またはクロハ288-2000の基本編成と、クモハ289-355＋サハ289-2400＋クハ288-2700の付属編成がある。

2016年11月からクロ288形を半室グリーン車としてクロハ288形に改造し、交流用機器が撤去した編成も登場した。● KATO

column 1

つなぎは自由に!

実車の編成を再現するのも楽しいが、
自由な編成を考えるのも模型ならではの遊びかた。自分なりの編成をつくってみよう!

模型だからこその自由

実車に即したフル編成はたしかにかっこいいし、特急・急行列車などはある程度の長さがあってこその存在感がある。しかし、そこにこだわって「模型としての楽しさ」を置き去りにしてしまうのももったいない話だ。

模型は実車を再現する魅力がある一方で、実車にはない夢の世界を実現する魅力もある。だから自分の心の中で納得できるつなぎ方であれば自由につないでかまわないともいえる。

また、時代を超えた機関車と客車の組み合わせも模型ならではの楽しみだ。たとえばC62が『北斗星』を牽引する姿なんて案外かっこいいかもしれない。そんなことを自由に試せるのも模型だからこそなのだ。

実車にも妙な編成はある

国鉄時代の特急列車は長編成が「常識」で、7両でも「ミニ特急」といわれていた。

しかし現代では2〜3両の特急など珍しくもない。485系にいたってはモハに運転台をつけて短編成化する、まるで模型の改造みたいなことをおこなっているのだ。

実車はシステムの制限と営業政策で編成を決めている。必要とあれば連結可能なように改造して凸凹編成を躊躇なく構成する。氷見線のキサハ34や気動車特急『まりも』にはさまれた14系客車などがいい例だ。

もしかしたら模型で組んだ「妙な編成」も、10年後には実車で「普通の編成」になっている可能性もあるのだ。

特急型気動車とは異なり、一般型の気動車は基本自由に連結できる。気動車が貨車を牽引したり、電気機関車牽引の客車列車に気動車を併結した列車もあった。

変な編成は珍しくない

気動車に客車をはさんだり、電車と気動車が連結したりといった編成は、実はそれほど珍しくない。また、蒸気機関車の末期に運転された蒸機とディーゼル機関車の重連も見た目には十分変な編成だ。現代でも『SL銀河』のような蒸機+ディーゼルカー編成が存在する。

▶塗装も併結されるキハ183に合わせられている。

「もしも」の世界を考えよう

自由に編成を組むときは「もしも」の世界を考えて組成すると説得力が増す。たとえば「もしE231系が転属して短編成化されたら」とか、「283系が××線に転用されたら」のように考えて編成を組むと、満足度もあがるし見る人も「なるほど」と思ってくれるかもしれない。

実車でも103系などは編成を短縮して地方に転属している(写真は2両編成の播但線仕様)。なのでE231系などが短編成化されたら、なんてifもおもしろい。

◀気動車列車化されたが寝台車は必要、という理由から気動車編成にスハネフ14を入れた『まりも』。実車ではこのようなことは珍しくない。
JRキハ183-100系特急ディーゼルカー『まりも』●TOMIX

長編成の車両をつなげて走らせよう!

ワールド工芸の

金属キットをつくる

**自分で組み立てた機関車に長編成の列車を牽引させれば、
走らせる楽しみがさらに増えるはず。
ここでは長編成の列車に似合う機関車をピックアップして製作工程を詳しく解説。
自分の手で組み上げて走らせよう!**

写真◎米山真人　協力・組み立て◎ワールド工芸

鉄道省
ED42形
電気機関車(標準型)

三菱鉱業
芦別専用鉄道9200形
蒸気機関車

国鉄
EF55形(東海道時代)
電気機関車

PROTOTYPE
INFORMATION

実車の形態は数タイプあったが、最も両数の多かった標準タイプともいえる、5～16号機がプロトタイプ。

鉄道省 ED42形 電気機関車(標準型)をつくる

動力装置や車輪径の見直しをはじめ、車体や使用部品のクオリティが一新された製品。

STEP1 車体前部の組み立て

最後に上部を切り取る際は、説明書に斜線部で記載のある箇所をしっかり確認してからおこなおう。

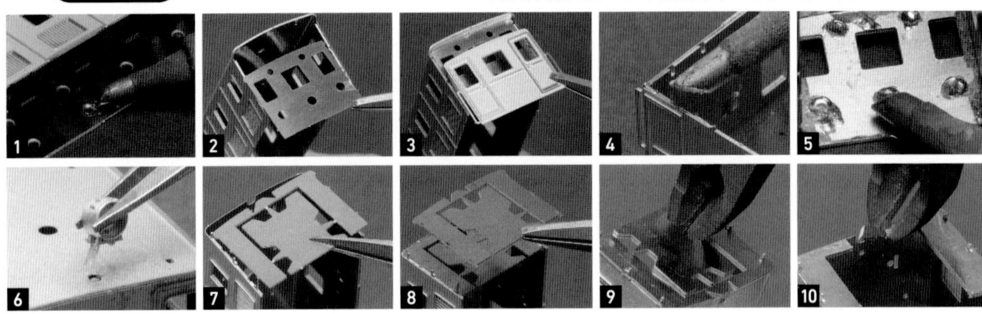

❶ボディの内側にある8か所のハンダ穴にハンダを流す。❷1エンドの妻面をつくる際は前妻板内側(A1-1)をはめ、内側から隅にハンダを流す。❸製作する号機によって前妻板外側を選択し、同じくはめる。❹板厚に少量ハンダを流して仮固定する。❺裏側から5か所あるハンダ穴にハンダを流す。❻ヘッドライトの足をキサゲ刷毛で磨いて1エンド側の屋根に差し込み、裏側からハンダ付け。❼A1-2を反対側のボディ内側にはめ、内側からハンダを流す。❽A1-5をA1-2の上にぴったり重ねてボディにはめ、板厚にハンダを流す。❾内板をニッパーで切り落とし、板厚にハンダを流して補強する。❿上部を切り取る。

STEP2 車体後部の組み立て

パンタグラフ取付台は山折りした後、板厚にハンダを流して補強しておこう。

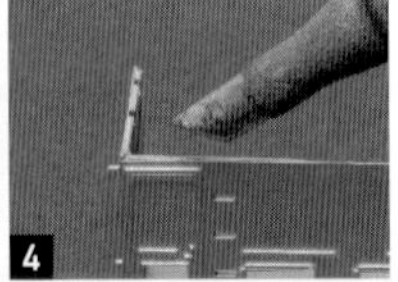

❶車体後部の内側にある4か所のハンダ穴にハンダを流す。❷後妻面の内板(A1-4)を車体後部のひさし側にはめ、内側の角にハンダを流す。❸製作する号機によって後妻板外側を選択し、同じようにはめる。❹板厚に少量ハンダを流して仮固定する。❺裏側から4か所のハンダ穴にハンダを流す。

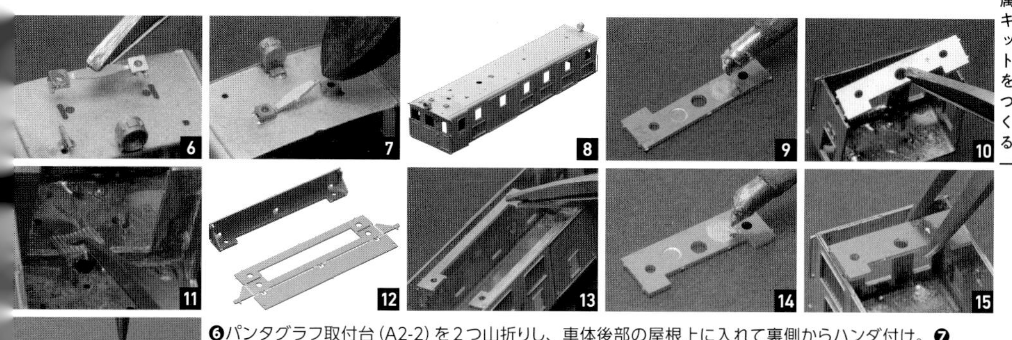

❻パンタグラフ取付台（A2-2）を2つ山折りし、車体後部の屋根上に入れて裏側からハンダ付け。❼A2-2の斜線部を切り取る。❽車体の後部を前部と合体させ、内側からハンダを流して固定する。❾A1-6（後部合体板）を山折りし、2か所のハンダ穴にハンダを流す。❿A1-6を向きに注意して車体後部にはめ、下側の角にハンダを流す。⓫A2-10（パンタグラフ取付補強板）を車体に曲げて取り付ける。⓬A2-5（台枠合体板）を山折りし、次に側面の三角形を折り曲げ内側に補強でハンダを流す。⓭車体の差し込みに合わせA2-5をはめ、三角形の箇所の2か所にハンダを流す。⓮A1-3（台枠合体板）を山折りし、2か所あるハンダ穴にハンダを流す。⓯車体前部のガイドに合わせてA1-3をはめ、隅にハンダを流して固定する。⓰A1-3とA1-6、A2-5にそれぞれM1.4のタップを立て、ネジ穴を切る。

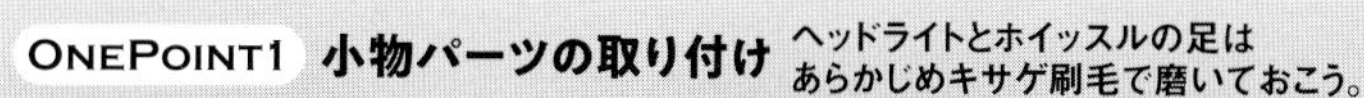

ONEPOINT1 小物パーツの取り付け

ヘッドライトとホイッスルの足はあらかじめキサゲ刷毛で磨いておこう。

❶H3-7（手すり）を2本後妻面に差し込み、裏側からハンダを流して固定する。❷ステップ2つナンバー板から切り出し、それぞれコの字に曲げる。❸ステップを後妻面内側から2つ入れ、内側からハンダを流して固定する。❹ヘッドライトを車体後部の屋根に差し込み、裏側からハンダ付け。❺ホイッスルを屋根に入れ、内側からハンダを流す。

STEP3 台枠の組み立て

デッキ部を差し込む際は、エンドの向きを間違わないようにしよう。

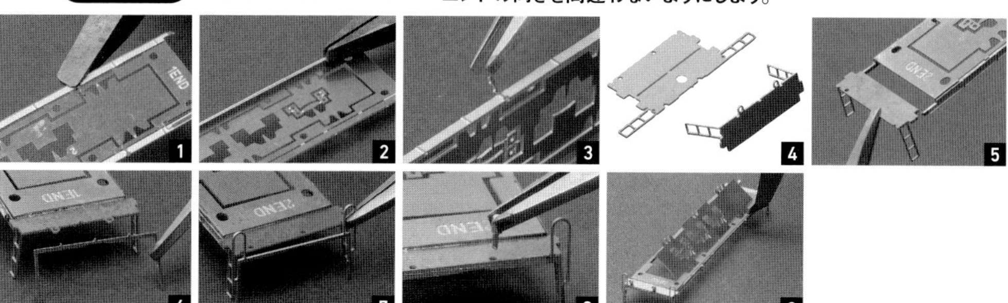

❶台枠の表現板を山折りし、プライヤーで曲げスジを押し潰す。❷プライヤーで本スジを山折りする。❸左右にある2か所の出っ張りを180度折り曲げ、板厚にハンダを流す。❹H3-1とH3-2（デッキ部）を山折りし、裏側にあるハンダ穴にハンダを流す。❺デッキを台枠に潜り込ませながらはめ、裏側からハンダを流して固定する。❻H3-3（デッキ前張り）を1エンド側に取り付け、板厚にハンダを流して固定する。❼H3-4（手すり付きデッキ前張り）を2エンド側に取り付け、板厚にハンダを流して固定する。❽テールライトを前後計4つデッキ部に差し込み、裏側からハンダを流して固定する。❾中子をニッパーで切り取る。

STEP4 モーター台と床下の組み立て

仮止めした長い足はハンダ付けした後、ニッパーで切り取ろう。

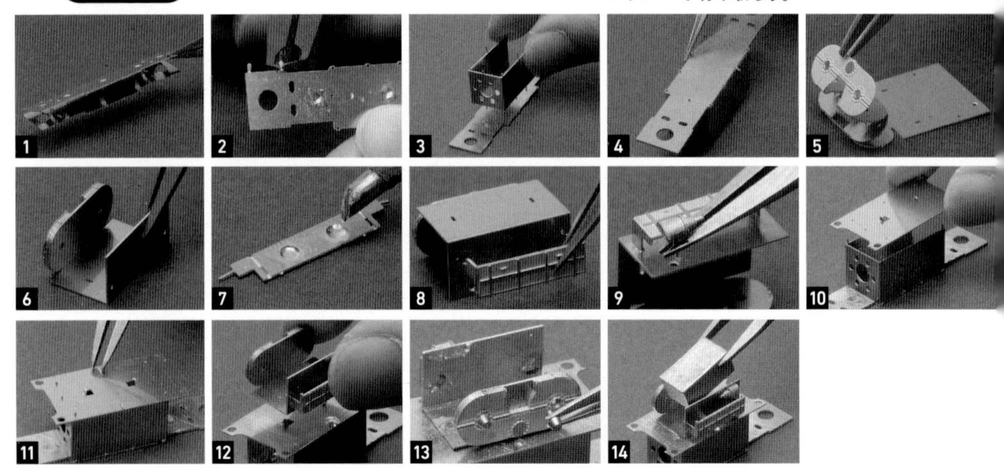

❶H1-1（モーター台上蓋）を山折りし、裏側にある3か所のハンダ穴にハンダを流す。❷出っ張り（説明書に記載がある斜線部）を4か所切断する。❸H1-2（モーター受け）をプライヤーを使ってコの字に折り曲げ、H1-1に差し込む。❹差し込んだ長い足を折り曲げて仮止めし、内側からハンダを流す。❺A1-7の床下表現をつづら折りし、板厚にハンダを流す。❻A1-7をコの字に折り曲げる。❼A1-8（床下機器）を山折りし、裏側にある2か所のハンダ穴にハンダを流す。❽A1-8をコの字に折り曲げてA1-7の後ろ側に差し込み、裏側からハンダを流す。❾シリンダーを向きに注意しA1-7に差し込み、裏側から接着する。❿H1-3（モーター台下蓋）の位置決めツメを90度引き起こし、H1-1とH1-2を合体したものに差し込む。⓫長い足を外側に折り返してハンダを流し、ヤスリで削る。⓬A1-7とA1-8を合体した床下をモーター台にはめ、位置決め爪の箇所にハンダを流してヤスリで削る。⓭止めピンを2つ差し込み、裏側からハンダを流す。⓮ウエイト大の余計な突起を切断し、A1-7に接着する。

STEP5 動力部の組み立て

前後とも、同じ手順にしたがって組み立てよう。

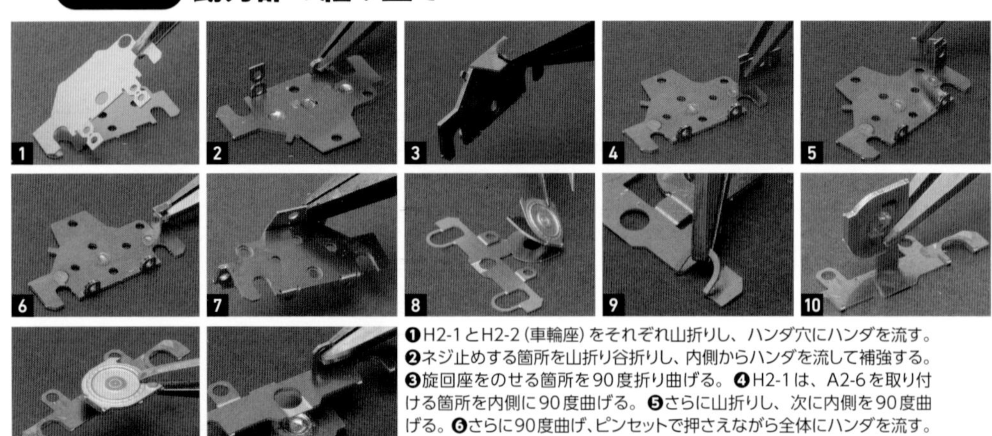

❶H2-1とH2-2（車輪座）をそれぞれ山折りし、ハンダ穴にハンダを流す。❷ネジ止めする箇所を山折り谷折りし、内側からハンダを流して補強する。❸旋回座をのせる箇所を90度折り曲げる。❹H2-1は、A2-6を取り付ける箇所を内側に90度曲げる。❺さらに山折りし、次に内側を90度曲げる。❻さらに90度曲げ、ピンセットで押さえながら全体にハンダを流す。❼上部の旋回座をのせる箇所を90度折り曲げる。❽H4-1とH4-2（車輪押さえ）のモーター表現をつづら折りし、ハンダ穴にハンダを流す。❾車輪押さえのUの字部分を山折りし、折り曲げた箇所にハンダを流す。❿モーター表現を90度折り曲げ、内側にハンダを流す。⓫真ん中部分を折り返す。⓬車輪座に取り付ける箇所を山折りする。

ONEPOINT2 屋根上機器の組み立てと取り付け

ランボードにハンダを流す際は湾曲するのを防ぐため、端から順におこなおう。

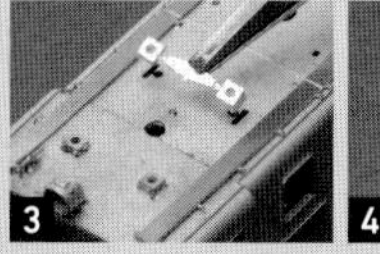

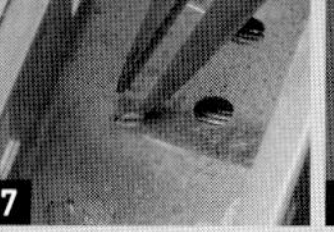

❶A2-3、A2-4（ランボード）の長いほうの足を1本ずつ90度曲げる。❷屋根上にランボードをはめ、裏側から差し込んだ足の部分にハンダを流す。❸もうひとつのパンタ台を車体前部の屋根に取り付ける。❹A1-9をモニターの前部に差し込み、表側からハンダを点付けする。❺A1-9を後部にも差し込み、内側からハンダを流す。❻組み上がったモニターを屋根に差し込む。❼裏側から差し込んだ足を折り曲げ、折り曲げた箇所にハンダを流す。❽抵抗器屋根を2つ屋根に取り付け、接着する。

STEP6 前端の組み立て

カプラー台座にハンダを流し過ぎると穴が塞がってしまうので、少量だけ流そう。

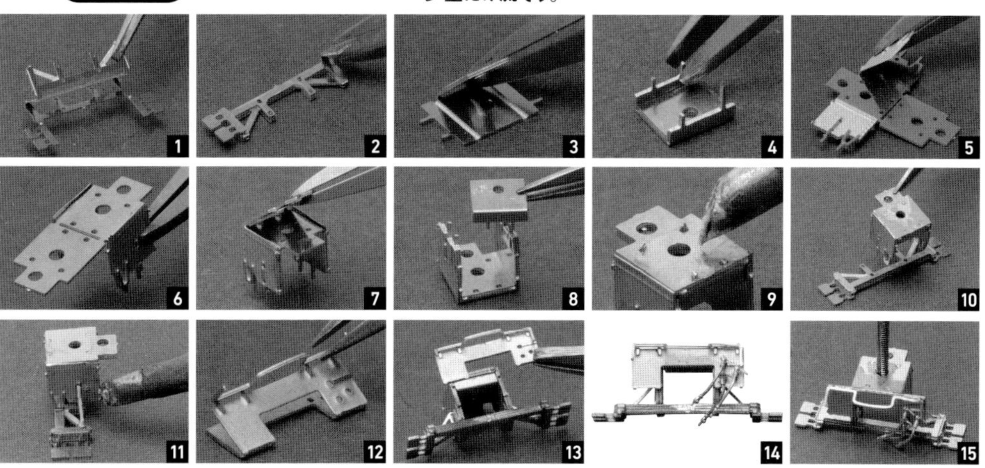

❶A2-8をつづら折りし、板厚にハンダを流す。❷集電靴を掴んで山折りし、板厚にハンダを流して補強する。❸A2-7（カプラー台座）を山折りし、板厚にハンダを流す。❹左右を折り曲げ、コの字にする。❺A2-6の柄板を起こし、板厚にハンダを流す。❻ハンダを流した箇所をコの字に折り曲げる。❼後ろを山折りし、板厚にハンダを流して固定する。❽A2-7を向きに注意し、A2-6に差し込む。❾上から差し込んだ足の箇所にハンダを流し、ヤスリで削ってきれいにする。❿A2-8に差し込み、裏からハンダを流す。⓫H3-6をA2-6の左右に差し込み、A2-8にハンダ付けする。⓬H3-10をつづら折りし、上部の板厚にハンダを流す。⓭A2-6の前側に取り付け、継ぎ目からハンダを流す。⓮エアホースを3本取り付け、裏側からハンダを流す。⓯M1.2のタップを立て、ねじ穴を切る。

STEP7 下まわりの組み立て

モーター取付時、配線がギアと干渉しないように取付穴を選択しよう。

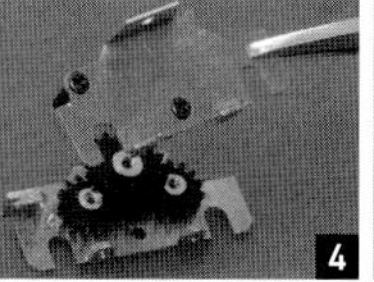
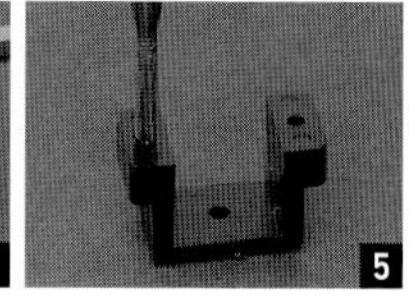

❶絶縁ステーを車輪座にM1.4×2で2つとめる。❷N小ギア軸をN中ギアに入れ、H2-5を挟んでM1.4×2.5コナベで2つとめる。❸N大ギア軸をN大ギアに入れ、M1.4×4コナベでとめる。❹絶縁ステーを付けた反対側の車輪座を合わせ、M1.4×2コナベで2か所とめる。❺旋回座の3か所にM1.4のタップを立て、ネジ穴を切る。

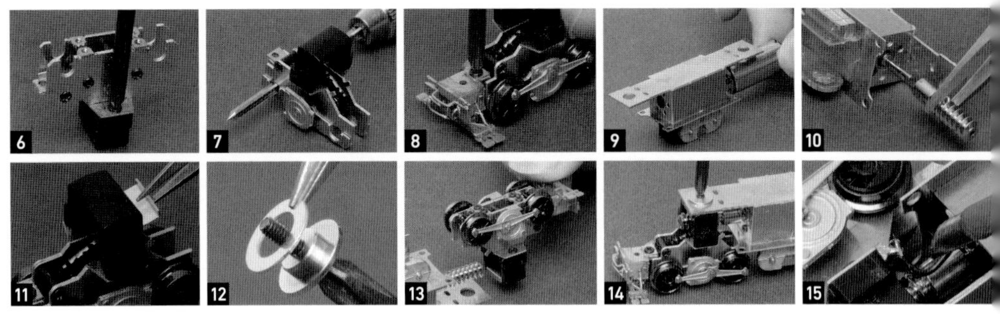

❻旋回座と車輪座をM1.4×2.5ナベで2か所とめる。❼車輪押さえを入れてM1.4×1.5コナベで2か所とめ、リーマーで軸穴を削っておく。❽前後の台車に、連結器梁をM1.4×2.5ナベでとめる。❾モーターフレームのなかにモーターを入れ、M1.4×1.5コナベでとめる。❿ウォームギアをエポキシ系接着剤で取り付ける。⓫H1-4を旋回座に取り付ける。⓬ボルスタにM1.4×4コナベを入れ、H4-3（ワッシャー）を入れる。⓭台車とモーターフレームを合わせる。⓮旋回座をM1.4×4コナベ、ボルスタ、H4-3を合わせたもので前後とめる。⓯説明書の配線の仕方を参考に、指定の箇所にハンダ付けする。

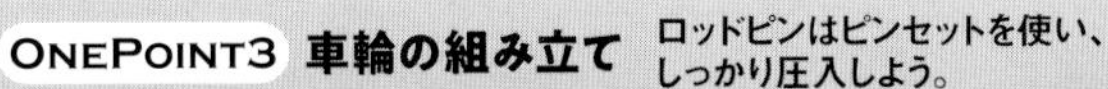

ONEPOINT3 車輪の組み立て

ロッドピンはピンセットを使い、しっかり圧入しよう。

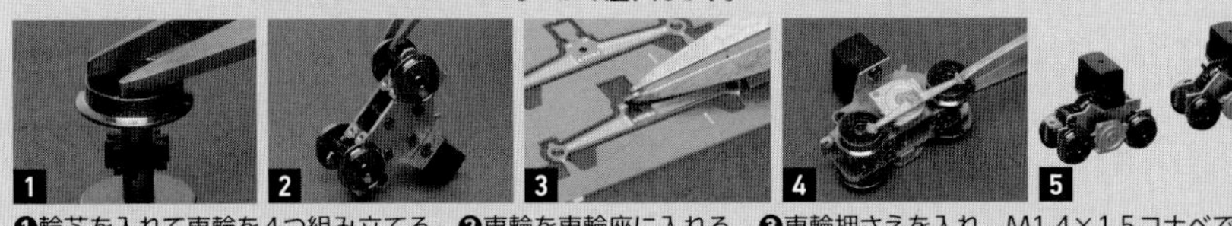

❶輪芯を入れて車輪を4つ組み立てる。❷車輪を車輪座に入れる。❸車輪押さえを入れ、M1.4×1.5コナベで2か所とめる。❹H7-1（ロッド）の上側を山折りし、裏側のハンダ穴にハンダを流す。❺ロッドを車輪にのせ、ロッドピンで2か所とめる。

ONEPOINT4 パンタグラフの組み立て

パンタグラフの形状が菱形になるよう、PS11-6を調整しよう。

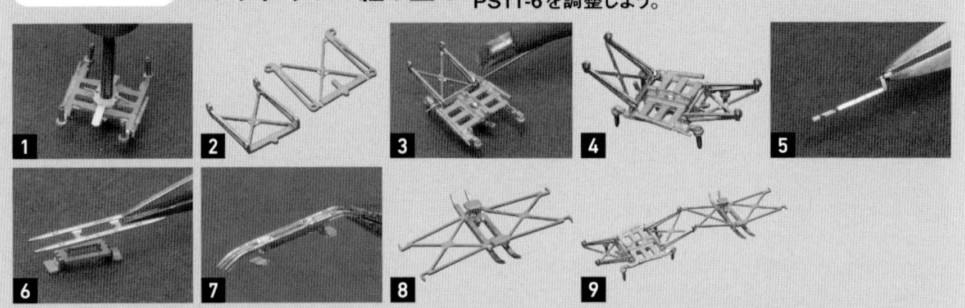

❶PS11-6のベース足をかしめ、M1.4のタップで下から貫通させる。❷PS11-2を2つコの字に折り曲げる。❸PS11-2をφ0.3の真ちゅう線を通してパンタベースにとめ、角にハンダを流す。❹反対側も同じように通し、余った真ちゅう線を切る。❺PS11-4を写真のように段になるように曲げる。❻足を2本曲げてPS11-3（スリ板）をPS11-4に差し込み、表からハンダを流す。❼PS11-3の左右を山なりになるように曲げる。❽PS11-1をPS11-4に差し込む。❾下部のパンタグラフに差し込む。

STEP8 最終組み立て

カプラーをとめるネジは、オプションカプラーも付属ネジを使用しよう。

❶M1.4×2.5ナベで屋根裏からパンタグラフをネジどめする。❷台枠をボディに被せる。❸エンドの向きに注意し、ボディと下まわりを合体させる。❹M1.4×2.5ナベで4か所とめる。❺カプラーを取り付ける。

長大編成のなかの変化球
『アルプス』に存在した複数の変わり種

急行『アルプス』には珍車が多数見られる。
気動車時代は『こまがね』『かわぐち』『八ヶ岳』などの急行と併結。
富士急行でも、乗り入れる『かわぐち』用にキハ58000系を3両新製した。
165系電車化後は気動車時代ほどの珍車はないが、
『アルプス』用に新製されたサハ164などは、少数派として異彩を放った。

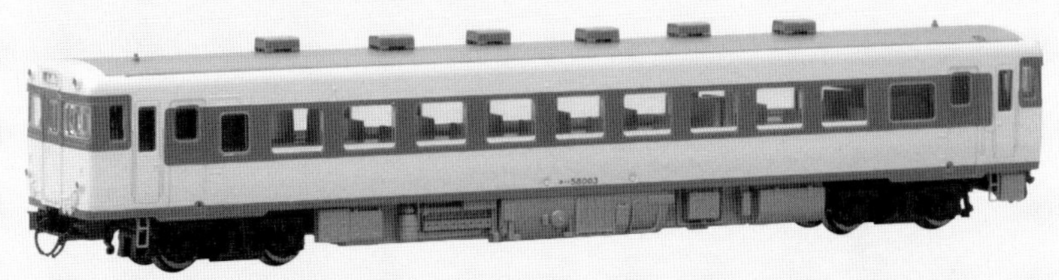

キハ58001と002は片運転台付き。003は両運転台付きで、後に有田鉄道へ譲渡された。
キハ58003はキハ58系の一党で唯一の、両運転台付きの新製車だった。キハ58003●TOMIX

1等車は1基エンジンのキロ28が標準だが、『アルプス』への長大編成対応車投入時（1963年）に、
急勾配用に2基エンジン装備のキロ58が8両開発された。キロ58●TOMIX

キロ58の冷房化で、4VKを搭載したキハ28 1500番台（後の2500番台）6両をいち早く新製投入。
出力不足のため2年ほどでキハ65に置き換わった。キハ28 2500番台●TOMIX

本数増加の際に、冷房電源用MGを持つサハシ165の代わりに新製された、売店付きのサハ164。
業務用扉が特徴で、わずか2両の珍車だ。『佐渡』でも一時使用。サハ164●TOMIX

三菱鉱業
芦別専用鉄道9200形
蒸気機関車をつくる

モデルは晩年に三菱鉱業芦別鉱業所専用鉄道に
譲渡されたものがプロトタイプ。

PROTOTYPE INFORMATION

国鉄の前身である鉄道作業局が1905年に輸入したボールドウィン製1Dテンダー機。先行した9000形や9030形が「小コン」、9050形が「新コン」と呼ばれたのに対し、この9200形は「大コン」（大型コンソリデーションの略）と呼ばれて親しまれた。

STEP1 テンダー下部の組み立て

テンダー車体は柔らかいので、
ハンダを当てすぎないようにしよう。

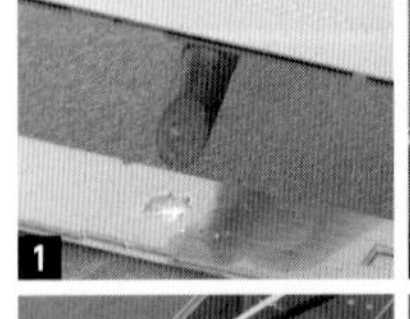

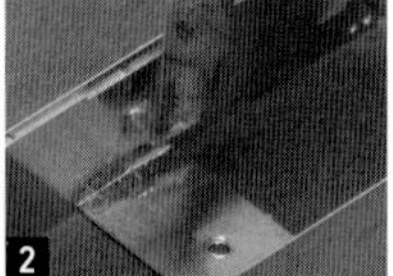

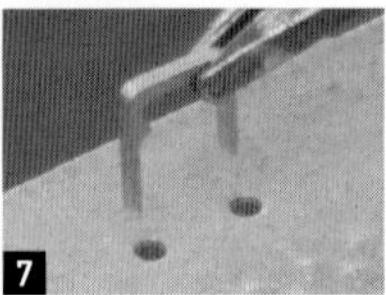

❶内側にある7か所のハンダ穴にハンダを流し、A2-3（補強板）の真ん中にM1.4のタップを立てネジ穴を切る。❷A2-3をテンダー車体の凹みに入れ、内側からハンダで付けてタップの返りをヤスリで削る。❸A2-5（石炭取り出し口）をコの字に折り曲げA2-4と合体し、裏側からハンダで補強。上部の出っ張りはヤスリで平らにする。❹A2-9をコの字に曲げ、A2-4・5合体板に取り付け、裏側から少量のハンダを流す。❺H2-9（手すり）をテンダー両側に付け、裏側からわずかなの量のハンダを流す。❻A2-4・5合体板をテンダー本体に取り付け、裏側から少量のハンダを流す。❼H2-10（手すり）をテンダー後部に、H2-9（後方ステップ）は角に取り付け、裏側から少量のハンダを流す。

STEP2 テンダー上部の組み立て

テンダーの上下が組みにくい場合は
先端を少し削ろう。

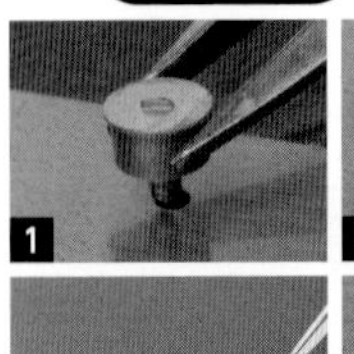

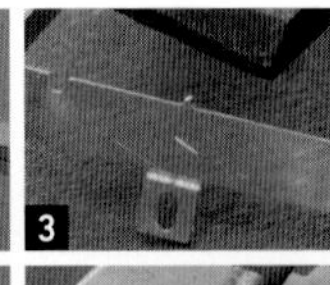

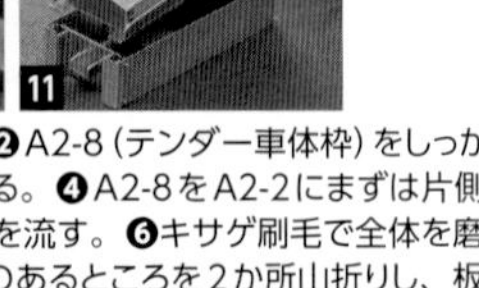

❶水タンク蓋の根元をキサゲ刷毛で磨きA2-2の穴に入れ、裏側からハンダを流す。❷A2-8（テンダー車体枠）をしっかりコの字になるように曲げる。❸真ん中にある出っ張りを0.2mmほど残してヤスリで削る。❹A2-8をA2-2にまずは片側を入れ、端にハンダを流して仮付けする。❺その後もう片側を入れ、側面全体にハンダを流す。❻キサゲ刷毛で全体を磨いて余分なハンダを削り、さらに4か所の脚をヤスリで削る。❼A2-7（増炭枠）の模様のあるところを2か所山折りし、板厚にハンダを流して補強する。❽A2-7を四角形になるように曲げ、裏側からハンダを流す。そしてA2-2の穴に入れ、6本の脚を裏側からピンセットで曲げる。❾真ん中の脚をハンダをわずかな量を流して取り付ける。❿リアライトをテンダー後部に取り付け、裏側からハンダを流す。⓫テンダーの上下を合わせ、裏側からハンダを四隅に流して取り付ける。

STEP3 テンダーの最終組み立て

エアホースはオプションなので、お好みで取り付けよう。

❶A2-1（床板）の端をスケール定規をあてて90度に折り曲げ、ハーフ面はスペイサーを使って曲げる。❷はしごをつづら折りにし、根元にハンダを流して補強する。❸裏側のL字部分に1cm程度ハンダを流し、キサゲ刷毛で磨いてきれいにする。❹カプラー取付部分を180度折り返し、ハンダを多めに流して補強する。❺A2-6（台車受け）をプライマーを使って折り曲げ、床板に脚を折り曲げ仮固定する。そして表側から2か所多めにハンダを流し、キサゲ刷毛で磨いてきれいにする。❻A2-6の真ん中に2か所、M1.4のタップを立てネジ穴を切る。❼床板の先端にドローバーピンを入れ、上側からハンダを流す。❽H2-7（端梁）を山折りにし、板厚にハンダを流して補強する。その後、床板の後部に取り付け、裏側から両端にハンダを流して補強する。❾Φ0.4真ちゅう線をテンダー後部の穴に入れ、裏側からハンダを流して取り付ける。❿M1.4×2.0コナベでテンダーと床板をとめる。⓫M1.4×5コナベにA2-11（ワッシャー）、バネ、カラーを入れ、台車の真ん中に入れて台車受けに付ける。⓬カプラー座を床板にM1.4×2コナベでとめる。

ONEPOINT1 テンダー台車の組み立て

台車下枠はハンダで補強しないように注意しよう。

❶H2-12（台車枠）の4か所をつづら折りにし、車輪座を90度折り曲げる。❷軸箱端と台車枠下部の板厚、さらに車輪押さえの内側にハンダを流して補強する。❸M1.4のタップを2か所に立て、ネジ穴を切る。そして板バネを台車枠に接着剤で4か所に取り付ける。❹H2-13（台車下枠）の4か所を曲げる。❺台車下枠に車輪を置き台車枠を被せ、M1.4×4.0コサラで2か所とめる。

ONEPOINT2 ランボードの加工①

ランボードは硬いので、タップを折らないように注意しよう。

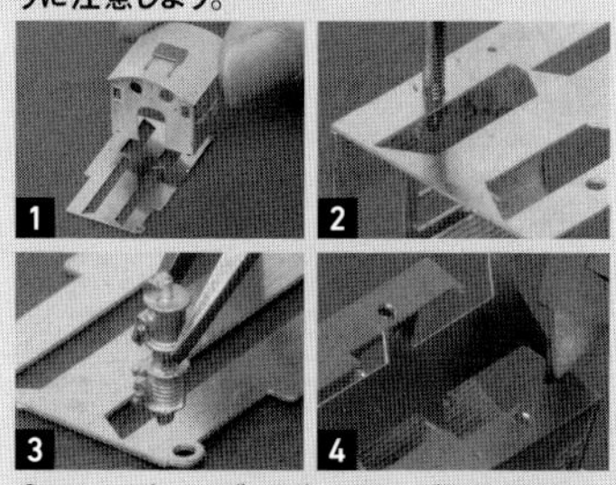

❶H2-14（ランボード）をキャブに取り付け、内側の裾からハンダを少なめに流す。❷M1.4のタップを左右2か所に立て、ネジ穴を切る。❸コンプレッサーの根元をキサゲ刷毛で磨き、前方の穴に水平垂直に入れ、裏側から少し多めにハンダを流す。❹ランボードの真ん中の補強板をニッパーで切り取る。

STEP4 キャブの組み立て

屋根は前後を確認してキャブに取り付けよう。

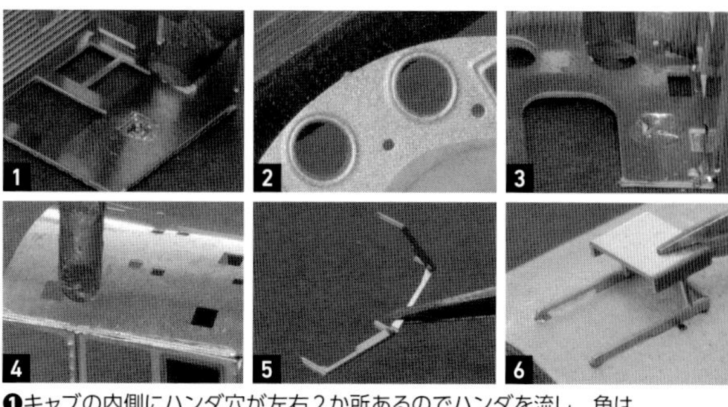

❶キャブの内側にハンダ穴が左右2か所あるのでハンダを流し、角は穴を塞がないように少なめでハンダ付けする。❷A1-1（妻板）上部をヤスリで滑らかになるように削る。❸妻板をキャブに取り付け、裏側にある2か所のハンダ穴にハンダを流してすばやく取り付ける。❹キャブの屋根上側面に少しだけハンダを流し、余分なハンダをキサゲ刷毛で磨いてきれいにしておく。❺H2-2（天窓レール）をコの字に曲げ、向きに注意して屋根に付け、裏側からハンダを4か所付ける。❻A1-2（天窓）をコの字に曲げて屋根に入れ、足だけを曲げて裏側から2か所ハンダを流す。

STEP5 ボイラーの組み立て

部品の取り付けは、ハンダ付けが難しい場合はエポキシ系で接着しよう。

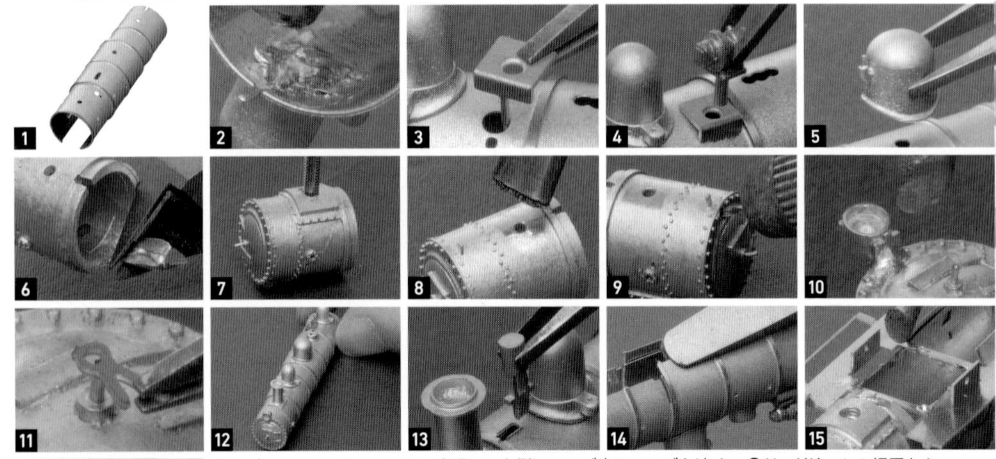

❶穴がまっすぐになっているか確認し、裏側のハンダ穴にハンダを流す。❷サンドドームの根元をキサゲ刷毛で磨き、ボイラーに垂直に取り付け、裏側からハンダを流す。❸A1-3（発電機取付座）をL字に折り曲げボイラーに取り付け、裏側から足をハンダで固定する。❹発電機の根元をキサゲ刷毛で磨き、向きに注意して取り付け、裏側からハンダを流す。❺安全弁取付座、スチームドーム、サンドドームともに向きに注意して取り付け、裏側からハンダを流す。❻ボイラーヘッドの湯口をニッパーで切り、切った部分をヤスリでしっかり削る。❼M2のタップをボイラーヘッドに垂直になるように立てる。❽煙突が付く穴のまわりとボイラーヘッド側面の穴、そしてボイラーヘッド内側をキサゲ刷毛で磨く。❾0.6mmのドリルでヘッドライト差込穴をさらう。❿ヘッドライトと煙突をボイラーヘッドに差し込み、ハンダを流して付ける。⓫H2-11（かんぬき）をボイラーヘッドに取り付け、表側からハンダを流して付ける。⓬ボイラーヘッドをボイラーに曲がっていないか確認してからはめ、裏側から左右をハンダ付けする。⓭消音器の向きに注意してボイラーに取り付け、垂直になっているのを確認してから裏側からハンダを流す。⓮スチームドームあたりから漸次ボイラー裾部分のRを戻して、やや垂直近くにする。⓯A1-4が正面から見て平行になるようにボイラーに取り付け、角の4点をハンダ付けし補強バリを切る。⓰エアタンクを左右2か所に取り付け、裏側からハンダを流して取り付け、ガードを折り曲げる。

ONEPOINT3

ランボードの加工②

ハンダは多すぎないように、適量を流そう。

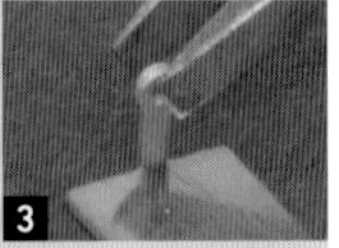

❶A1-4（ランボード前）のエアタンク吊り輪をL字に曲げる。❷前側の配管押さえを曲げる。❸裏側の出っ張りを曲げ、ハンダを流して補強する。

ONEPOINT4

キャブとボイラーの接着

正面から見て平行になっているかを確認してから取り付けよう。

❶キャブとボイラーを取り付ける。❷裏側から少し多めにハンダを流して固定する。

STEP6 配管の取り付け

Φ0.25の真ちゅう線を10mmの長さに4本切って、ボイラーに合わせてあらかじめ曲げて取り付けよう。

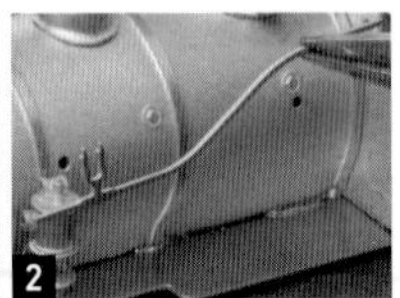
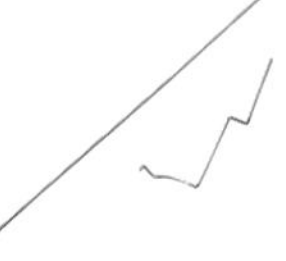

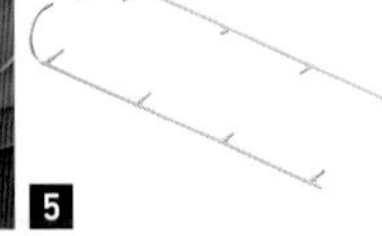

❶H2-3の左右を確認してボイラーに取り付け、裏側からハンダを少量だけ流す。❷H2-5をキャブの穴に片方入れ、もう片方はコンプレッサーに入れ、表側からハンダを流して付ける。❸Φ0.4の真ちゅう線を写真のように曲げる。❹発電機とコンプレッサーに差し入れ、ハンダを流して付ける。❺H2-1（手すり）をボイラーRに合わせて、写真のように曲げる。

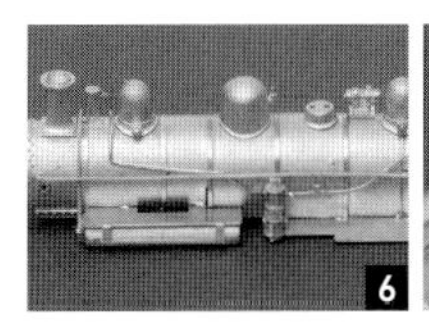
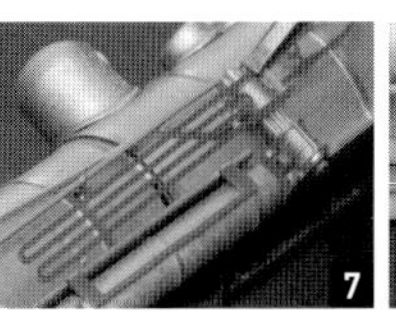
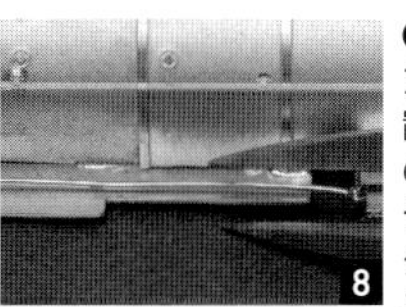

❻H2-1をボイラーの左右に付け、裏側からハンダを流す。❼H2-4をエアタンクガードに位置を合わせて取り付け、少量のハンダを上側の両端に流し付ける。❽配管（Φ0.4mm真ちゅう線）を曲げ片方をキャブに、もう片方をエアタンクの吊り輪に入れ、裏側からハンダで付ける。

STEP7 デッキの組み立て

エアホースは根元を削って前側に付け、裏側からハンダを流そう。

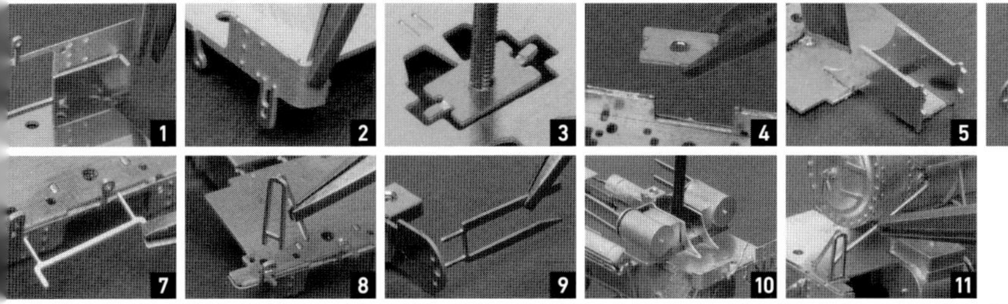

❶A1-6の端梁を90度折り、さらに内側に曲げる。❷端梁を山折りにし、さらに角を内板に合わせ折り、板厚にハンダを流す。❸ランナーに付いた状態のA1-11（カプラー台座）にM1.2のタップを立て、ネジ穴を切る。❹両端の耳を立てて、裏側からA1-6（デッキ）の穴に入れ、多めにハンダを流して取り付ける。❺プライマーでコの字に曲げたA1-5をA1-6（デッキ）の後ろ側に入れ、裏側からハンダを流す。❻H1板をA1-5に入れハンダを流して補強し、M1.4のタップを上下に立てネジ穴を切る。❼解放テコ受けを折り曲げてから解放テコを差し、裏側からハンダを流して余分な線を切り取る。❽H2-6（手すり）を2本切り出し、山折りにしてデッキに取り付け、裏側から3か所にハンダを流す。❾F1-3（スライドバー）を向きに注意してH1板に入れ、他の穴を埋めないように裏側からハンダを流す。❿M2.0×4ネジでシリンダーブロックを挟んでボイラーに仮止めする。⓫Φ0.5の真ちゅう線をボイラーとデッキに左右2本差す。

ONEPOINT5 車輪の組み立て

輪芯を90度進める際、印を付けておくとわかりやすい。

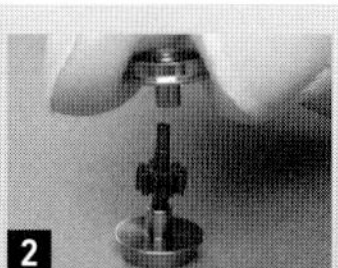

❶輪芯の穴を丸棒やすりで、さらに1mmのドリルでロッドピンが差さる穴をさらっておく。❷輪芯を車輪に入れ組み立てる。❸反対側は90度進めておく。

STEP8 動力部の組み立て

ハンダを付けるすぎると車輪が入らなくなる場合があるので注意しよう。

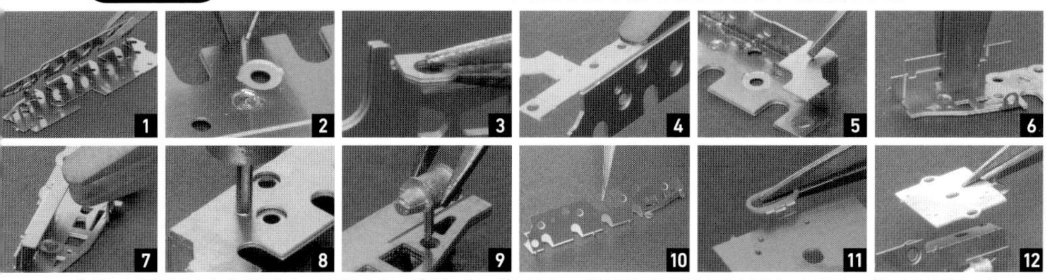

❶H1-1（車輪座）を山折りにし、裏側のハンダ穴にハンダを流す。❷下の三角部分を3か所カットする。❸L字に折り、裏側からハンダを流して補強する。❹前側を90度プライマーで曲げ、内側にハンダを流して補強し、補強板と先端を90度曲げる。❺手前を90度下に曲げ、さらに曲げて裏から多めにハンダを流して補強する。❻モーター取付座を90度プライマーで曲げ、裏側から多めにハンダを流して補強する。❼かえしの部分をプライマーでつかんで90度曲げ、補強板を2か所折り返す。そして内側からハンダを流す。❽M1.4のタップを2か所立て、ネジ穴を切る。❾ブレーキシリンダーの先端を切断し、向きに注意して車輪座に取り付ける。❿H1-2（車輪座）を山折りにし、裏側にある5か所のハンダ穴にハンダを流す。⓫H1-3（モーター取付座）の後ろをL字に折り、裏側から多めにハンダを流して補強する。⓬モーター取付座を車輪座に取り付け、裏側からハンダを流して取り付ける。

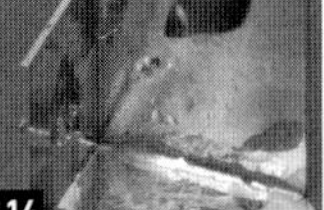
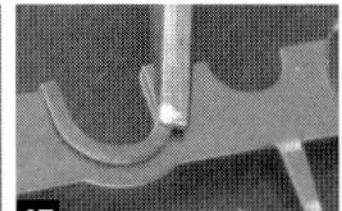
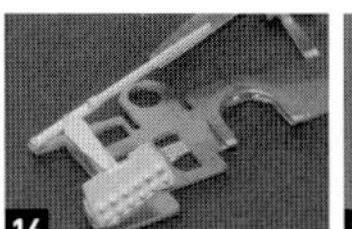

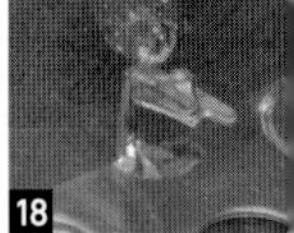

⓭A1-7（モーターホルダー）の真ん中を山折りにして裏側から多めにハンダを流し、M1.4のタップを立てネジ穴を切る。⓮タップを立てた状態で内側に折り、内側からハンダを流して補強する。⓯H1-4（車輪押さえ）の押さえ部分を4か所山折りにし、ハンダを下側に少量流す。⓰後ろの部分を手前に山折りにし、板厚にハンダを流す。⓱ブレーキシューを4か所山折りにし、踏面にハンダを少量流す。⓲4か所全部立てて、根元にハンダを流して補強する。その後、4本折り返しL字の折り曲げ部分にハンダを少し当てる。⓳ネジ止めの部分を折り曲げ、裏側に少量ハンダを流す。

STEP9 車輪の組み立て

メカステー、N大ギア軸、N小ギア軸を間違えないように注意しよう。

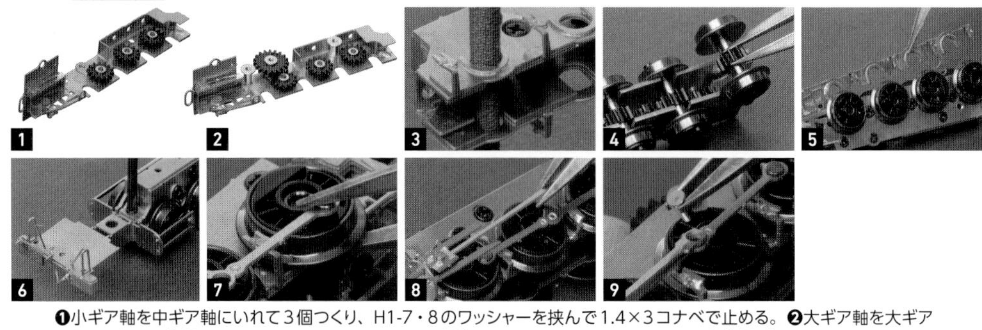

❶小ギア軸を中ギア軸にいれて3個つくり、H1-7・8のワッシャーを挟んで1.4×3コナベで止める。❷大ギア軸を大ギアに入れてとめ、絶縁ワッシャ、メカステー、ワッシャーを挟んでM1.4×2コナベでとめる。❸絶縁ブッシュをM1.4×2.5コナベでとめ、車輪座に車輪押さえをM1.4×1.5コナベでとめ、車軸挿入穴を丸棒でさらっておく。❹車輪押さえを一度はずして、車輪を同じ方向で入れる。❺車輪押さえをもう一度入れ、M1.4×1.5コナベで前後2か所とめる。❻デッキ部を車体からはずし動力部に入れ、M1.4×2コナベで車輪座にとめる。❼F1-2（サイドロッド）を前後のギアに入れてロッドピンでとめる。❽F2板（メインロッド）を一番奥まで差込む。❾ロッドピンでとめる。

ONEPOINT6 モーターの組み立て

モーターは向きに注意して取り付けよう。

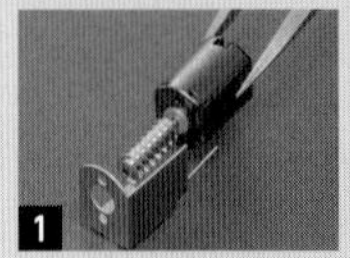

❶モーターをモーター受けに入れ、M1.4×1.5コナベで上下2か所とめる。❷後ろの端子をモーターに入れてハンダ付けする。❸モーターをモーター取付座に入れ、下からM1.4×2コナベでとめる。

STEP10 最終組み立て

安全弁とホイッスルは塗装後に取り付けよう。

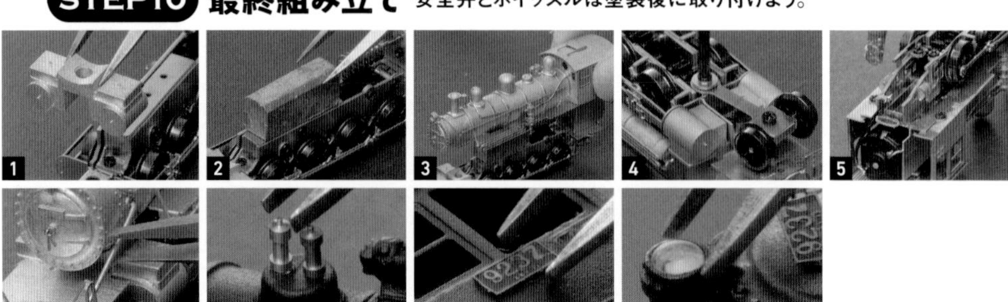

❶シリンダーブロックを被せる。❷ウエイトをのせ、ウォームギアと干渉しないように接着剤で固定する。❸車体を被せてM2.0×4ネジでとめ、さらにM1.4×2コナベで2か所とめる。❹先輪を段付カラーを向きに注意して挟んで、M1.4×2コナベでとめる。❺モーターと車輪座（H1-2）を配線（21mm）でつなぐ。❻Φ0.5真ちゅう線を2本取り付ける。❼安全弁やホイッスルを付ける。❽ナンバープレートなどを付ける。❾ライトにレンズを入れる。

column 3

凸凹編成の魅力

ひとつの形式で揃えられた「編成美」がある一方で、雑多な形式がつながった「凸凹編成」にも別の魅力がある。ちぐはぐなようでルールがある凸凹編成を考えてみよう。

不揃いだからおもしろい

雑多な車両がつながった凸凹編成も楽しいものだ。

昔であれば貨車と客車が連結された混合列車が凸凹編成の代表格。または急速に進化・発展したため車体断面がバラバラの一般型気動車編成など、編成として整っていないがゆえに魅力的な列車は数多い。

固定編成で構成されることが多い電車でも、旧型国電の時代は17メートル級と20メートル級の車両が混ざって編成になっていた山手線や、70系に混じって63系や40系などがつながっていた横須賀線など、凸凹編成はよく見られた。

これらの凸凹編成は、必然や事情があった結果そうなったわけで、決して「いい加減につないでいる」わけではない。Nゲージ鉄道模型で編成を組む場合も、実車の歴史的事情や車両の事情を学べば、美しい凸凹が生まれるはずだ。

混合列車を楽しもう

一見適当につながっているように見える混合列車だが、ルールがまったくないわけではない。貨車と客車の順番は、機関車の次に貨車が来て、その後ろに客車が来るのが基本。これは駅で貨車の入れ換えをしながら運転する際、機関車の直後に客車が来ると入れ換えの手間がかかるからだ。

ただし、冬季や北海道では例外的に機関車+客車+貨車の場合もある。これは機関車から暖房用の蒸気をもらうため(貨車には暖房用の引きとおし線がない)だ。

DE10-ワム50000-ワム50000-トラ145000-スハ43-スハフ42
混合列車の連結順は機関車+貨車+客車が基本。

DE10-スハニ32-オハフ33-トラ145000-タム500-ワム50000-ワム50000-ヨ6000
冬季に暖房が必要な場合は、機関車の直後に客車が来る場合もある。

こんな編成も! キハ20-ワム50000

混合列車は何も機関車けん引列車ばかりではない。国鉄でも気動車が貨車1～2両をけん引する例があったほか、私鉄では電車が貨車をけん引していた例もある。キハ20+ワムという編成はローカル線の演出にもぴったりだ。

かつて国鉄ローカル線で見られた混合列車。つなぐ順序は機関車+貨車+客車か、機関車+客車+貨車。どちらのパターンにも理由がある。

国鉄
EF55形(東海道時代)電気機関車をつくる

特徴的な前面はもちろん、2エンド側の切妻のディテールも細密で、その魅力なスタイルが充分楽しめる製品。

PROTOTYPE INFORMATION

1936年に3両が製造された流線形旅客用電気機関車。EF53とEF10を組み合わせたような下まわりだが、ギア比がEF53よりも高速に設定された。当初は1エンド側の連結器は格納式、簡易運転台のある2エンド側にはヘッドライトも取り付けられていなかった。

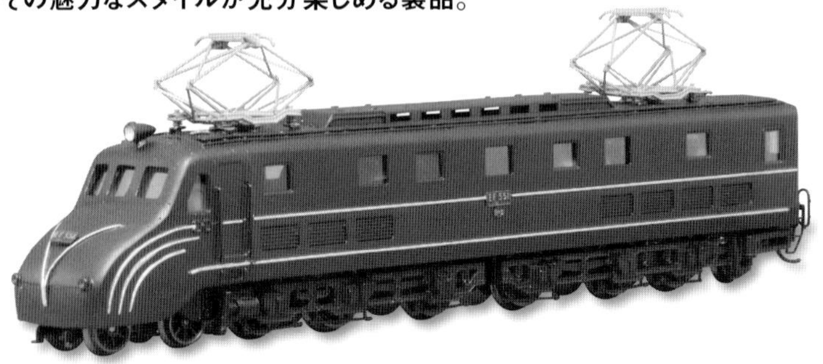

STEP1 車体の組み立て

抵抗器は前後の向きはないが、ソフトメタルなので瞬間接着剤を使って取り付けよう。

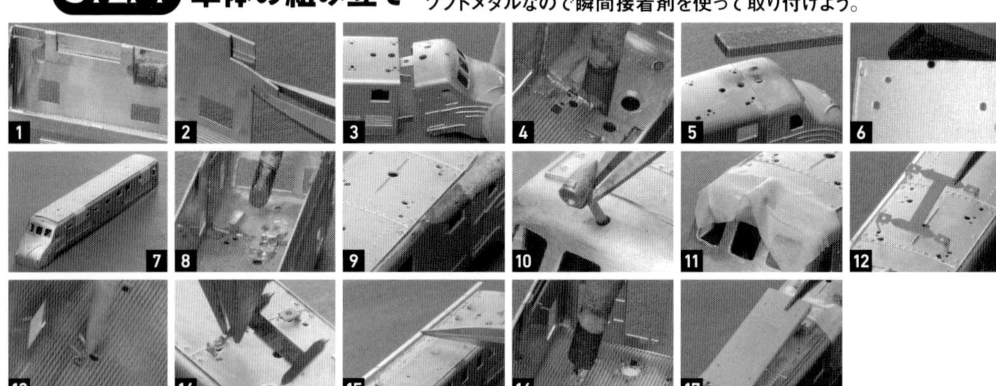

❶床板を渡す板を4か所180度折り返し、折り代の内側にハンダを流して補強する。❷前縁をハの字に曲げる。❸前頭部とボディを合わせる。❹屋根のベロと側面にハンダを流して、前頭部とボディを固定する。❺前頭部とボディが面一になるように、屋根をヤスリで削る。❻ボディ後部の凸部をヤスリで削る。❼屋根板をボディに付けて、マスキングテープで仮どめをする。❽ボディ裏側にハンダ穴が4か所あるので、前側から順にハンダを流す。❾屋根板とボディの間に隙間があるのでマスキングテープを取った後、表側からハンダを流して埋め、キサゲ刷毛ではみ出したハンダを削り落とす。❿ヘッドライトの根元をキサゲ刷毛で磨き、そのまま前頭部に差し込む。⓫ヘッドライトがずれないようにマスキングテープで固定し、裏側からハンダを流して固定する。⓬パンダ台の脚を4か所90度に折り曲げ、ボディの前後2か所にパンダ台を付ける。⓭裏側からパンタ台の足を折り曲げ、はずれないようにする。⓮パンタ台がしっかり固定されたのを確認した後、パンタ台の押さえを切断する。⓯2本あるランボードの足を90度に曲げ、向きに注意してランボードをボディに取り付ける。⓰裏側からハンダを流してランボードを固定する。⓱モニターを屋根に取り付け、裏側からハンダを流して固定する。

ONEPOINT1 前頭部の準備

ボディにはめる前に、前頭部をキレイに仕上げておこう。

❶前頭部のハンダしろを平らになるまでヤスリで削る。❷ヘッドライトと乗務員扉の手すりの裏側をキサゲ刷毛で削る。❸前頭部の出っ張りを平らに削る。

STEP2 車体後部の組み立て

コーナーは削りすぎないように、少しずつゆっくり作業しよう。貫通扉がきちんと入らない場合は、ヤスリで削る。

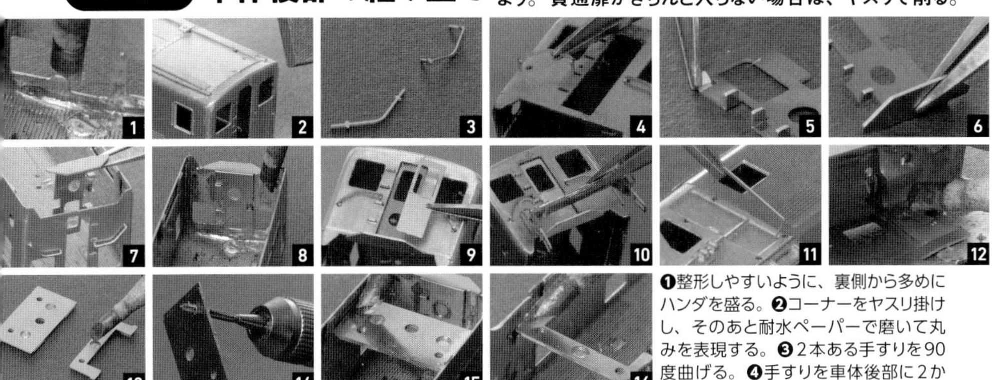

❶整形しやすいように、裏側から多めにハンダを盛る。❷コーナーをヤスリ掛けし、そのあと耐水ペーパーで磨いて丸みを表現する。❸2本ある手すりを90度曲げる。❹手すりを車体後部に2か所付けて、裏側からハンダを流して固定する。❺貫通扉内側板のステップを90度起こす。❻のりしろも90度起こす。❼内側から車体後部にはめる。❽内側から貫通扉の左右をハンダ付けする。❾外側の貫通扉を取り付け、裏側にあるハンダ穴にハンダを流す。❿後部デッキを車体後部に接着する。⓫4つある側面手摺を前頭部に付ける。⓬裏側から手すりの上側だけハンダを流して固定し、下側は削って車体と平らにして、瞬間接着剤で固定する。⓭前後の底板を山折りで180度曲げ、3か所のハンダ穴にハンダを流す。⓮M1.4mmのタップで4か所ネジ穴を切る。⓯後ろ底板をボディの一番奥まで差し込み、ハンダを流して固定する。⓰前の底板は向きに注意してボディにはめ、ハンダを流して固定する。

ONEPOINT2 後部デッキの組み立て

ハンダは必要な場所に、必要な量だけゆっくり流そう。ステップの一番下を少し外側に曲げておこう。

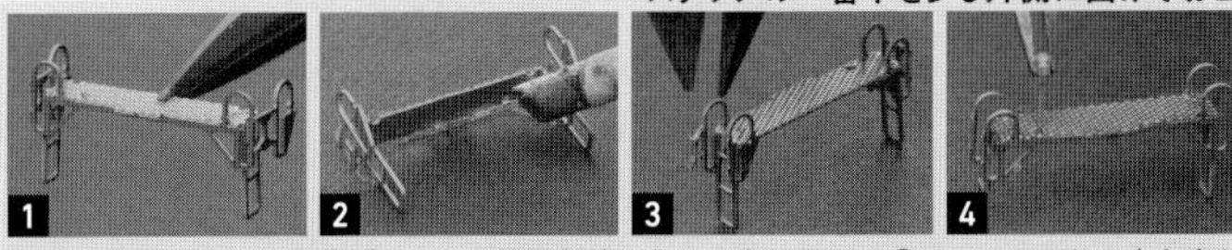

❶ガイドに沿って90度曲げ、2つの部品を差し込んで合わせる。❷テールライトの穴を塞がないように注意し、裏側から全体にハンダを流す。❸手すりの左右にある軸をニッパーで切断する。❹テールライトを後部デッキに差し込み、裏側から瞬間接着剤で固定する。

STEP3 パンタグラフの組み立て

パンタグラフ端部は丸いものにあてがってRを付けてください。
パンタグラフの仕組みはKATOやTOMIXの既製品と同じなので、わからない場合は参考にしてみよう。

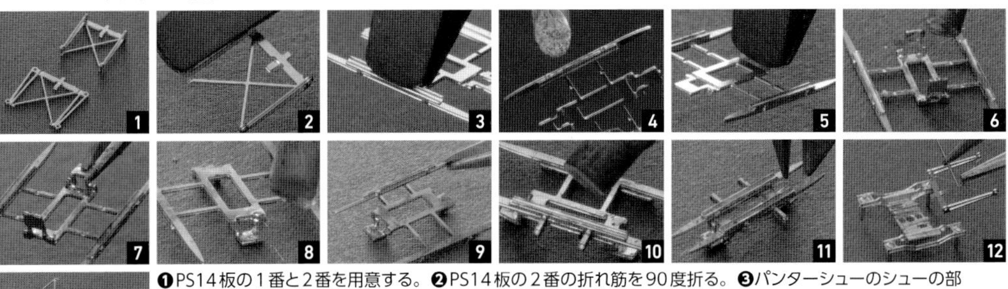

❶PS14板の1番と2番を用意する。❷PS14板の2番の折れ筋を90度折る。❸パンターシューのシューの部分をプライヤーで掴んで180度折り返す。❹板厚部分にハンダを流して補強する。❺パンタシューの真ん中部分を90度曲げる。❻内側にハンダを流す。❼さらに外側に90度曲げる。❽注意しながら、少量だけハンダを流す。❾パンタシューを180度折り返す。❿ハンダを流して補強する。⓫4か所の出っ張りをカットする。⓬パンタグラフの下枠に真ちゅう線を通す。⓭上の部分は先端を差し込むだけ。

STEP4 床板の組み立て 台車取り板の段差にはハンダを流さないようにしよう。

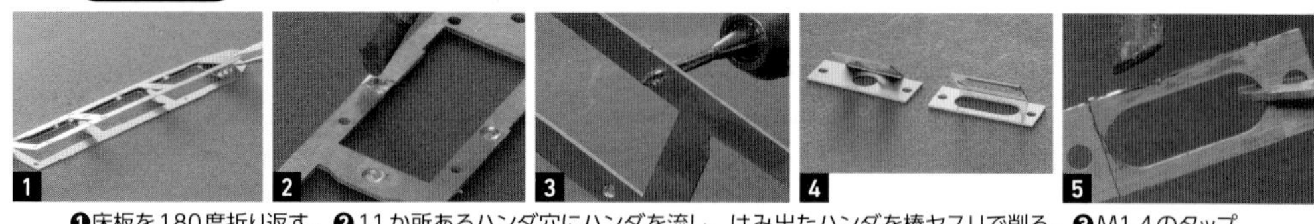

❶床板を180度折り返す。❷11か所あるハンダ穴にハンダを流し、はみ出たハンダを棒ヤスリで削る。❸M1.4のタップを5か所に立て、ネジ穴を切る。❹台車取り板を180度折り曲げる。❺ハンダ穴がないので、板厚にハンダを流して補強する。

STEP5 台車枠の組み立て

台車枠はソフトメタルなので、ハンダ付けに自信のない方は瞬間接着剤で取り付けよう。
前側の台車枠も同じ要領でつくる。

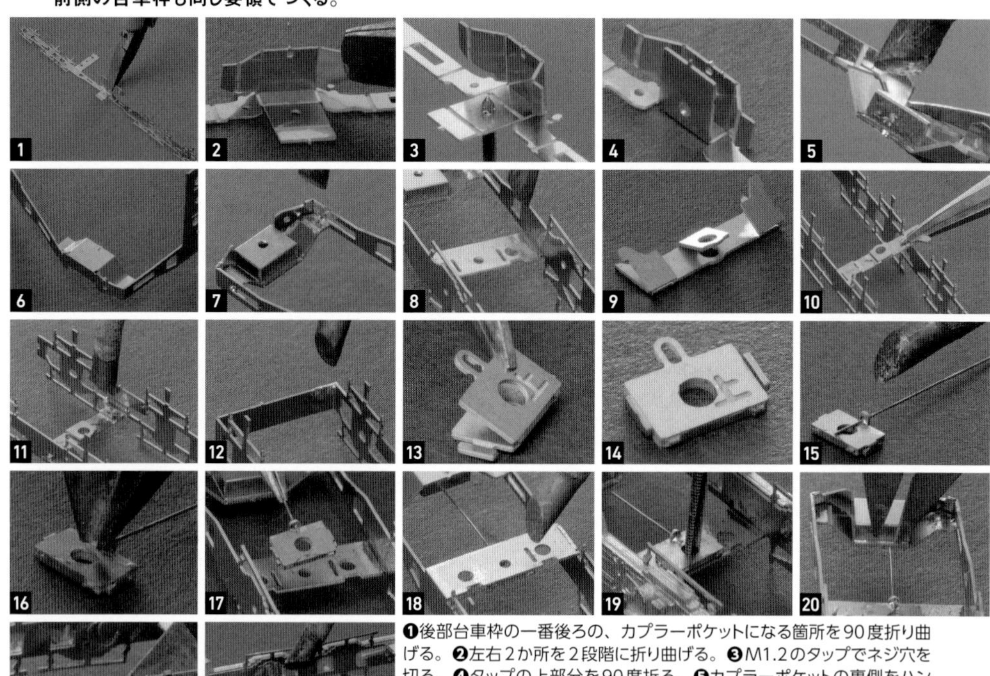

❶後部台車枠の一番後ろの、カプラーポケットになる箇所を90度折り曲げる。❷左右2か所を2段階に折り曲げる。❸M1.2のタップでネジ穴を切る。❹タップの上部分を90度折る。❺カプラーポケットの裏側をハンダ付けする。❻ガイドに合わせて左右どちらか折り曲げる。❼裏側から少量だけハンダ付けをする。❽従輪固定用の受けの部分を90度に曲げて、裏側からハンダを流して補強する。❾台車枠渡り板の出っ張っている箇所を180度折り曲げ、ハンダを流して補強する。❿向きに注意して台車枠に入れる。⓫内側から少し多めにハンダを流す。⓬先端部分を曲げて、角をハンダ付けする。⓭C-2の板を180度折り曲げ、板厚の部分にハンダを流して補強する。⓮左右2か所を90度曲げる。⓯バネ線をC-2板に差し、なるべく少量のハンダを流して付ける。⓰出っ張ったバネ線をニッパーで切る。⓱C-2板を後ろの台枠に下側から付ける。⓲上側からハンダを流して固定する。⓳C-2板を裏側からM1.4mmのタップを立てネジ穴を切る。⓴バネ線を10mmの長さで切る。㉑車体裾に干渉しないように、C-1板の台車フレーム担いバネ部分をニッパーで切る。㉒台車枠を台車に裏側からハンダで取り付け、裏側からヤスリを掛けてキレイにする。

ONEPOINT3 ウエイトの加工

車輪をレールと確実に接触させるために必ずウエイトを取り付けよう。

❶前部ウエイトの内側の穴をφ1.4でドリル加工する。❷後部ウエイトの角を、使い古したヤスリなどを使って2mm削る。

STEP6 先台車と従台車の組み立て

**排障器の角度はおおよそ30度、外側に曲げよう。
折り曲げる箇所が多いので、ていねいに確実に作業しよう。**

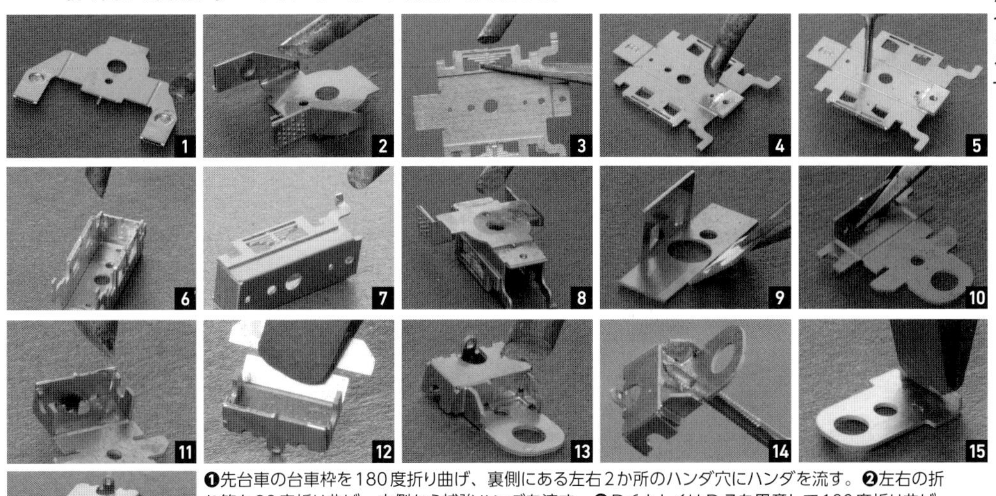

❶先台車の台車枠を180度折り曲げ、裏側にある左右2か所のハンダ穴にハンダを流す。❷左右の折れ筋を90度折り曲げ、内側から補強ハンダを流す。❸D-6もしくはD-7を用意して180度折り曲げ、板厚部分にハンダを流して補強する。❹先端部分を180度折り曲げ、内側からハンダを流して補強する。❺M1.2のタップを立て、2か所ネジ穴を切る。❻左右3か所を90度折り曲げ、内側の角側をハンダを流して補強する。❼排障器を外側に曲げ、溝の部分にハンダを流して補強する。❽下枠に上枠を差し込み、ハンダを流して付ける。❾先台車の止め板をコの字に曲げる。❿従台車台座の一番後ろを90度に折り曲げる。⓫左右の軸受けも90度に折り曲げ、裏側から角に少量のハンダを流して補強する。⓬ガイドに合わせて90度曲げ、さらに90度折り曲げる。⓭左右の羽の部分を90度折り曲げ、内側から補強ハンダを流す。⓮M1.2のタップを立て、ネジ穴を切る。⓯従台車台座の下板の後ろ部分を90度折り曲げる。⓰上枠と下枠を合わせると車輪受けになる。

STEP7 動力部の下準備

後部の台車も同じ手順で組み立てよう。ボルスターにハンダを流す際は、側面にはみ出ないように少量だけ付けよう。

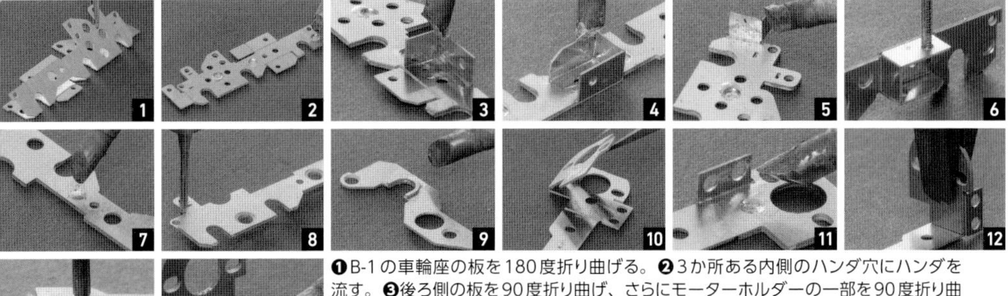

❶B-1の車輪座の板を180度折り曲げる。❷3か所ある内側のハンダ穴にハンダを流す。❸後ろ側の板を90度折り曲げ、さらにモーターホルダーの一部を90度折り曲げ、内側から補強ハンダを流す。❹下側を90度折り曲げ、内側から補強ハンダを流す。❺前の部分を90度曲げ、さらに90度曲げ、折れ筋の内側2か所にハンダを流す。❻説明書に記載のある8か所にM1.4のタップでネジ穴を切る。❼B-2の車輪座の板を180度折り曲げ、3か所あるハンダ穴にハンダを流す。❽M1.4のタップを4か所に立て、ネジ穴を切る。❾車輪押さえ板を180度折り返し、Uの形の下部分にハンダで補強する。❿モーター押さえ板を180度折り返し、裏側に1か所ハンダ穴があるので、ハンダを流す。⓫2つ穴が開いている箇所を90度起し、内側に補強ハンダを流す。⓬長い部分を90度折り曲げ、内側から補強ハンダを流す。⓭ボルスターを1.4mmのネジで仮どめする。⓮少量のハンダをボルスター前側部分だけに流す。

STEP8 動力部の組み立て

大ギア軸とメカステーを間違わないように注意しよう。
また、モーターをモーター受けに入れる際は、出っ張りマークが下になるように入れよう。

❶B-5（ギア受け）をB-1車輪座に1.4×2のネジを入れて、小ギア軸に小ギアを2つ入れてとめる。❷大ギア軸に大ギアを入れて、M1.4×3コナベでとめる。❸メカステーを2か所、M1.4×2コナベでとめる。❹絶縁ワッシャを付けて、絶縁ブッシュでM1.4×2.5コナベでとめる。❺リーマーで車輪受けをさらっておく。❻車輪を車輪圧入機でかしめる。全部で8輪つくる。❼輪芯をゴム系接着剤で付けた車輪を入れて車輪押さえでとめ、動力ユニットにB-3板を入れてM1.4×1.5コサラでとめる。❽B-7をボルスターの箇所に付ける。❾モーターとモーター受けをM1.4×2コナベでとめ、ウォームギアを瞬間接着剤でとめる。❿床板に前部ウエイトをM1.7Bタイトネジでとめる。⓫先台車ボルスターとバネをかませて先台車をC-20のワッシャーを通し、下からM1.4×5コサラでとめる。⓬車輪を入れてD-4を被せ、M1.4×6コサラでとめる。⓭前部動力ユニットを後ろから床板に入れる。⓮M1.4×5コナベで2か所とめる。⓯台車枠を被せ、M1.4×1.5コナベで2か所とめる。

STEP9 モーターの配線

配線は動力ユニットが支障なく回転できるように余裕をもたせよう。

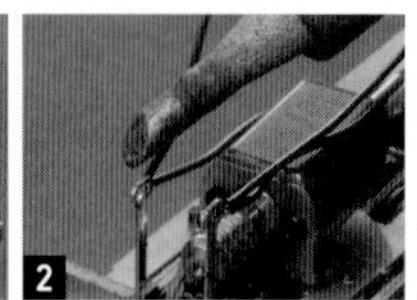

❶配線端子を4か所、M1.4×2コナベでとめる。❷全部28mmの長さにジャンプ線を切り、配線端子にハンダで固定しよう。❸配線図に合わせて配線する。

STEP10 ボディの仕上げ

塗装はボディ、台枠など、各ブロックがひととおり組み上がった段階でおこなおう。

❶窓セル（前面:16×7、後面:17.5×6、側面:96×6mm）を入れたあとに、後部ウエイトをM1.7Bタイトでとめる。❷パンタグラフをボディに差し込み、裏側からパンタ止めネジM1.4×2.5ナベでとめる。❸飾り帯をロックタイト接着剤（ゴム系でも可）でとめる。❹ナンバープレートを磨きだしてボディに付ける。❺後部デッキをゴム系接着剤で付ける。❻ホイッスルを向きに注意して、ゴム系接着剤で前後に取り付ける。❼ボディと台車を合体させる。

Nゲージ モデルコレクション

A4変型判　各定価1650円（税込）

※1は売り切れ

Nゲージ モデルコレクション 2
キハ181×169

Nゲージ モデルコレクション 3
オールアバウト 通勤車 JR&国鉄

Nゲージ モデルコレクション 4

EF65×EF81

Nゲージをもっと深く楽しむ本

Nゲージで愉しむ
私鉄特急
A4変型　定価1650円（税込）

Nゲージで愉しむ
国鉄・JR急行
A4変型　定価1980円（税込）

Nゲージで愉しむ
新幹線
A4変型　定価1650円（税込）

Nゲージで愉しむ
JR特急
A4変型　定価1650円（税込）

ビンテージモデル メンテナンス
A5判　定価1760円（税込）

Nゲージキット 製作ガイド
DVD付

B5判　定価1980円（税込）

Nゲージモデル 撮影術
A4変型　定価1430円（税込）

全国の書店およびAmazon.co.jpや
楽天ブックスなどのネット書店で購入できます。

イカロス出版㈱　出版営業部
E-mail:sales@ikaros.co.jp
https://www.ikaros.jp/

Nゲージで遊ぶ長編成

2023年2月20日発行

表紙デザイン　川井由紀
本文デザイン　川井由紀／岩崎圭太郎／松元千春
撮　影　金盛正樹／米山真人／奈良岡 忠／佐々木 龍

発行人　山手章弘
担当編集長　宇山好広
編　集　森田政幸
出版営業部　野尻龍平／國井耕太郎／木村義明／右田俊貴

発行所　イカロス出版株式会社
〒101-0051
東京都千代田区神田神保町1-105
TEL 03-6837-4661（出版営業部）
TEL 03-6837-4662（法人営業部）

印刷所　図書印刷株式会社
Printed in Japan